D1177283

E. PAULINE JOHNSON

Légendes de Vancouver

Traduit de l'anglais par Chantal Ringuet

Presses de Bras-d'Apic

Légendes de Vancouver
Copyright © Presses de Bras-d'Apic, 2012.

Tous droits réservés. La reproduction d'un extrait quelconque de ce livre, par quelque procédé que ce soit, tant mécanique qu'électronique, est formellement interdite sans le consentement préalable de l'éditeur.

Dépôts légaux : 4ᵉ trimestre 2012
Bibliothèque et Archives Canada
Bibliothèque et Archives nationales du Québec

ISBN 978-2-9812179-1-2

Imprimé et relié au Canada

Édition : Louis Anctil
Traduction : Chantal Ringuet
Conception graphique et production : Denis Hunter Design

Catalogage avant publication de Bibliothèque et Archives nationales du Québec et Bibliothèque et Archives Canada

Johnson, E. Pauline (Emily Pauline), 1861-1913

Légendes de Vancouver

(Collection Rencontres inattendues)

Traduction de : Legends of Vancouver.

ISBN 978-2-9812179-1-2

1. Légendes - Colombie-Britannique - Vancouver. 2. Squamish (Indiens) - Folklore. 3. Mythologie indienne d'Amérique - Colombie-Britannique - Vancouver. I. Titre.

FC3847.36.J6414 2012   398.209711'0327112   C2012-942240-1

Couverture : *Haayiitlik (Serpent de mer)*, 2004. Copyright © Ray Sim. (Nation salish Musqueam de Vancouver, C.-B.). Vectorisation et reproduction avec l'aimable autorisation de l'artiste.

4ᵉ de couverture : *Pauline Johnson in Native Dress*, E. Pauline Johnson Fonds (Box 6, file 6), William Ready Division of Archives and Research Collections, McMaster University Library, Hamilton, Canada.

Table

Préface

«Une dame victorienne et une princesse mohawk»

Il aura fallu qu'un siècle entier s'écoule pour que parvienne jusqu'à nous, lecteurs francophones, une voix unique de la littérature canadienne: Emily Pauline Johnson (1861–1913). Voix unique, elle émerge au confluent d'une tradition orale millénaire, celle des autochtones de la côte Ouest du Canada, et d'une tradition écrite alors en plein essor, celle de la littérature canadienne-anglaise. Voix de femme, elle «transforme» les légendes que lui a racontées le chef John Capilano en y ajoutant une couleur, un scintillement particulier, à travers lesquels se déploient les rêves et les chimères d'un univers autochtone qu'elle offre à la postérité. En embrassant la géographie de la côte du Pacifique, qu'elle percevait comme sa vaste demeure, Johnson fait l'allégorie d'une réalité sensible dont les nombreuses ramifications pénètrent l'au-delà, ces «Terres de la chasse abondante» que sont le royaume des défunts. Qu'il s'agisse du rocher Siwash, qui «semble appartenir à une autre sphère céleste», ou de la rivière Tulameen, dont «[l]es notes délicates sont beaucoup plus puissantes et résonnent beaucoup plus loin que les tonnerres rauques de la Niagara», ou encore des arbres-cathédrale situés près de Stanley Park, ces «géants de la forêt qui forment une voûte céleste de leur superbe grandeur», Johnson excelle à transposer dans l'écrit une vision du monde centrée sur les croyances du peuple squamish.

Dès le début du XXᵉ siècle, cette voix ouvre une brèche dans l'histoire canadienne. À travers elle, l'on entend les échos de la langue chinook, aujourd'hui une langue perdue, enfouie dans les tréfonds de la mémoire chez les autochtones de la Colombie-Britannique et de l'ouest des États-Unis. Voix d'une *skookum*, une brave, une amie de tous, elle révèle les splendeurs d'un folklore amérindien valorisant la parole du Sagalie Tyee, ce grand esprit rempli d'amour et de sagesse qui veille sur ses enfants indiens. Portée par un «grand vent» (chinook), comme l'indique le nom de la langue elle-même, cette voix s'achemine aujourd'hui jusqu'à l'autre rive du pays.

Avec *Légendes de Vancouver*, E. Pauline Johnson propose des récits authentiques dévoilant les multiples facettes du patrimoine indien. Qu'il s'agisse de ses mythes fondateurs, tel le récit du Déluge dans «Les eaux profondes», ou de ses récits collectifs associés à la naissance et à la mort, comme la pêche au saumon dans la légende du même nom, ceux-ci sont rendus accessibles grâce à la figure de l'Indien. Présenté tantôt sous les traits du chef Capilano, tantôt sous le visage du «vieux guide» ou de la «klootchman», l'Indien apparaît ici tel un héros dont la sagesse supplante «la rudesse des Blancs» et les avancées de la civilisation moderne («Le serpent de mer»).

Dans ce mélange d'histoire, de légendes, de traditions et de superstitions, la géographie de la côte Ouest constitue la vaste toile de fond où se déploient des scènes de la vie quotidienne intimement liées à des temps immémoriaux, à la fois révolus et éternels. Ainsi, des lieux tels Homolson

Rock, les îles Charlotte, le Dry Belt, Deadman's Island et False Creek font l'objet d'une véritable (re)découverte qui enrichit notre perception de la vie des Premières Nations dans la région du Pacifique. Sous le regard autochtone, alors en plein essor, ces lieux sont investis de croyances et de traditions culturelles et sociales en harmonie avec la nature. À la même période (1913), l'environnement côtier de la Colombie-Britannique inspire une jeune peintre du nom d'Emily Carr, dont l'œuvre visuelle fera écho, à plusieurs égards, aux textes de Johnson. En rend compte le passage suivant, tiré de la légende «Le leurre de Stanley Park», qui évoque le tableau *Cathedral* (1937) :

> Mais les arbres divinement moulés et la cathédrale façonnée par l'homme partagent une caractéristique parfaite : l'atmosphère de la sainteté. La majorité d'entre nous a de meilleurs sentiments après avoir vu une cathédrale imposante, et aucun ne peut demeurer au milieu de cette forêt majestueuse sans éprouver certaines pensées élevées, ni faire l'expérience d'un certain raffinement de notre nature ordinaire. Peut-être que ceux qui lisent cette petite légende ne regarderont plus jamais ces arbres-cathédrale sans penser aux âmes glorieuses qu'ils abritent car, d'après les Indiens de la côte, ils accueillent des âmes humaines et le monde est meilleur puisque jadis, ils possédaient la parole et les cœurs d'hommes puissants.

D'une légende à l'autre, l'écrivaine fait preuve d'un raffinement et d'une sensibilité rares, attributs qui inscrivent sa démarche dans le prolongement de la vaste culture littéraire anglaise dans laquelle elle a plongé dès l'enfance. À ce titre, la maison familiale joua un rôle déterminant : dotée d'une imposante bibliothèque comprenant les classiques de la littérature anglaise, celle-ci fut un lieu de réception de personnalités artistiques et politiques importantes, dont Homer Ransford Watson et la marquise de Lorne [Campbell], la princesse Louise, le prince Arthur et lord Dufferin.

Dans ce contexte, il n'est guère étonnant que les *Légendes* de Johnson présentent une ouverture étonnante à la rencontre entre les « hommes rouges » et les visages pâles. Si « Une légende squamish de Napoléon » se présente comme un récit fantasmé à propos du « Grand combattant français », dont le destin aurait été influencé par une amulette squamish, « Un chef royal mohawk » aborde plutôt un événement historique marquant, soit la visite du prince Arthur, le neveu de la reine Victoria, dans le comté de Brant, en Ontario, et sa nomination au titre de « Chef des Indiens des Six Nations ». En raison de son penchant envers la culture britannique, Johnson s'impose à titre de passeuse entre les traditions amérindienne et anglophone dont elle a hérité, ces traditions qui ont entretenu pendant longtemps des liens conflictuels, comme l'histoire l'a bien montré.

Pour le lecteur francophone du XXIe siècle, le texte de Johnson se présente donc comme une source inépuisable de découvertes concernant le mode de vie des Premières Nations de la côte Ouest du pays. Mais il s'agit aussi, et avant tout, d'une œuvre littéraire à la fois singulière et forte, dont les accents lyriques, auxquels s'ajoutent certains emprunts à la langue chinook, lui confèrent une place unique dans le corpus de la littérature canadienne*.

* Dans cette traduction, nous avons choisi de conserver les termes et expressions chinook qui apparaissent dans le texte original, tout en intégrant leur traduction française afin de faciliter la lecture.

Écrivaine et artiste de la scène, Johnson est née en 1861 dans la réserve des Six Nations située à proximité de Brantford, en Ontario. En compagnie de ses quatre frères et sœurs, Pauline a grandi dans la «Chiefwood», une demeure que son père George avait construite sur un terrain de deux cents acres surplombant la vallée Grand River et que fréquentaient de nombreux artistes, écrivains, politiciens et dignitaires. Femme au double héritage, Mohawk par son père et Anglaise par sa mère, Johnson s'est toujours perçue elle-même comme une «Indienne». «Il y en a qui croient me faire un compliment en disant que je suis une femme blanche comme les autres», écrivit-elle un jour. «Je suis Indienne, et mon but, ma joie, ma fierté sont de chanter les gloires de mon peuple*».

Affichant dès sa jeunesse des talents d'oratrice hérités de son père et de son grand-père, John «Smoke» Johnson, un ancien combattant qui chérissait les valeurs européennes, elle choisit, à l'âge adulte, de porter le nom de son arrière-grand-père, Tekahionwake. Sa carrière de récitaliste fut lancée à Toronto, en janvier 1892, à l'occasion d'une soirée de poésie organisée par son ami Frank Yeigh au Young Men's Liberal Club. À la suite de ce succès, elle présenta plus de cent vingt-cinq représentations publiques en Ontario pendant les mois qui suivirent, jusqu'en mai 1893. L'année suivante, elle se rendit à Londres, en Angleterre, où elle présenta plusieurs récitals, tout en préparant la publication de son premier ouvrage de poésie, *The White Wampum* [Le wampum blanc] (1894), que la critique salua avec enthousiasme. En 1903, l'auteure publia un deuxième recueil de poèmes sous le titre *Canadian*

---

* Tiré de Robin Laurence, «Introduction», E. Pauline Johnson, *Legends of Vancouver*, Vancouver and Toronto, Douglas & McIntyre, 1997, p. xiii.

Born, reflétant son expérience canadienne et empreint de sentiments patriotiques.

Au cours des dix-sept années suivantes, Johnson continua de faire des tournées dans l'ensemble du Canada et aux États-Unis, notamment en compagnie des artistes Owen Alexander Smily (1892–1897) et J. Walter McRaye (1901–1909). Mais à partir de 1898, elle rencontra plusieurs difficultés personnelles et économiques qui firent obstacle à sa production littéraire et artistique. Atteinte d'un cancer du sein, elle termina néanmoins, en 1912, la rédaction de ses ouvrages *Legends of Vancouver* et *Flint and Feather* [Silex et plumes]. Ces ouvrages furent publiés quelques semaines plus tard, grâce à l'appui de certains amis qui organisèrent des collectes de fonds en son honneur. En mars 1913, après plusieurs mois de lutte, l'écrivaine fut emportée par la maladie. De nos jours, E. Pauline Johnson demeure connue, dans la mémoire collective, à la fois comme «une dame victorienne et une princesse mohawk» et comme l'une des grandes auteures canadiennes du XXe siècle.

Chantal Ringuet

Note de l'éditeur

Par fidélité au texte original et afin de mieux rendre la réalité socioculturelle s'y rattachant, le mot «Indien» n'a pas été remplacé par un terme plus acceptable de nos jours. De même ont été conservés les toponymes en usage à l'époque de l'auteur.

Les deux sœurs

VOUS LES APERCEVEZ lorsque vous regardez vers le nord et l'ouest, à l'endroit où les collines de rêve nagent dans le ciel parmi leurs nuages perlés et gris en éternelle dérive. Elles captent le premier reflet du soleil, elles retiennent le dernier éclat du crépuscule. Ce sont des montagnes jumelles qui, élevant leurs sommets jumeaux au-dessus de la plus magnifique ville du Canada, sont connues dans l'Empire britannique sous l'appellation «Les Lions de Vancouver».

Parfois, la fumée des feux de forêt les embrouille jusqu'à ce qu'elles miroitent telles des opales dans une atmosphère pourpre, trop belles pour être décrites avec des mots. Parfois, les pluies obliques ornent d'une écharpe de buée leurs crêtes, et les sommets disparaissent dans des contours flous; ils se perdent, se perdent, se perdent au loin pour toujours. Mais la plupart des jours de l'année, le soleil encercle les jumelles glorieuses d'un drapé d'or. La lune les lave d'un torrent d'argent. Souvent, lorsque la ville est enveloppée de pluie, le soleil jaunit leurs neiges en un orange foncé; mais à travers le soleil et l'ombre,

1

elles se tiennent imperturbables, souriant vers l'ouest au-dessus des eaux du Pacifique agité, vers l'est au-dessus de la beauté magnifique du Canyon Capilano. Mais les tribus indiennes ne connaissent pas ces montagnes sous l'appellation «Les Lions». Même le chef, dont les pieds se sont tout récemment rendus dans les Terres de la chasse abondante, n'avait jamais entendu ce nom avant que je le lui mentionne, lors d'un jour d'août vaporeux où nous parcourions le chemin menant au canyon. Il sembla si étonné d'apprendre leur nom que j'ai énuméré les raisons pour lesquelles il leur avait été attribué, en lui demandant s'il se rappelait les Lions Landseer de Trafalgar Square. Oui, il se rappelait de ces sculptures splendides, et son œil vif perçut la ressemblance sur-le-champ. Cela sembla lui plaire, et son visage noble exprima les mémoires inoubliables du rugissement éloigné du Vieux Londres. Mais l'«appel du sang» était plus fort et, à ce moment, il faisait référence à la légende indienne de ces montagnes; une légende dont j'ai raison de croire qu'elle est absolument inconnue de milliers de visages pâles qui regardent vers «Les Lions» chaque jour, sans leur porter l'amour dont recèle le cœur indien, sans connaître le secret des «Deux sœurs». La légende était profondément fascinante lorsqu'elle quitta ses lèvres, dans un anglais brisé au charme suranné qui n'est jamais aussi gracieux que lorsqu'il est issu d'une langue indienne. Ses gestes inimitables, forts, gracieux, élaborés, s'apparentaient à un cadre parfaitement choisi qui étreint une peinture délicate, et ses yeux sombres étaient comme la lumière dans laquelle baignait la peinture. «Plusieurs milliers d'années auparavant», commença-t-il, «il n'y avait pas de montagnes jumelles telles des sentinelles surveillant les avant-postes de cette côte crépusculaire. Elles avaient été placées à cet endroit bien après la première création, lorsque le Sagalie Tyee avait façonné les montagnes et dessiné les rivières puissantes où court le saumon, grâce à Son amour pour Ses enfants indiens et à Sa sagesse pour leurs nécessités. À cette époque, il y avait de nombreuses et puissantes tribus indiennes le long du Pacifique, dans les chaînes de montagnes, aux rivages et aux sources du grand fleuve Fraser. La loi des Indiens gouvernait le territoire. Les coutumes indiennes dominaient. Les croyances indiennes étaient respectées. À cette époque sont nées les légendes, lorsque de grandes choses ont engendré les traditions que nous transmettons aujourd'hui à nos enfants. Peut-être la plus grande de ces traditions est-elle l'histoire des "Deux sœurs", que nous connaissons sous l'appellation "Les filles du chef", et nous leur devons la Grande Paix que nous vivons et avons vécue durant plusieurs lunes incalculables. D'après une ancienne coutume qui règne parmi les tribus de la côte, le moment où nos filles évoluent, de l'enfance jusqu'au monde magnifique de la féminité adulte, doit en être un de réjouissances supérieures. L'humain qui peut enfanter un jour un fils, un guerrier, un brave, reçoit beaucoup d'estime dans la majorité des nations; mais pour nous, les tribus Sunset, elle est honorée plus que tout autre individu. Les parents donnent habituellement un grand potlatch, et ils organisent une fête durant plusieurs jours. La tribu entière, de même que les tribus environnantes, est invitée à cette fête. En plus de cela, parfois lorsqu'un grand Tyee festoie en l'honneur de sa fille, les tribus situées plus haut le long de la côte, ou qui viennent de loin depuis le Nord, de l'intérieur des terres, de la grande île et du pays de Cariboo, sont rassemblées à titre d'invités à la fête. Pendant ces jours de réjouissances, la fille est placée sur un siège élevé, une position exaltée, car au fond, n'est-elle pas bonne à marier ? Et le mariage ne signifie-t-il pas la maternité ? Et la maternité ne signifie-t-elle pas un pays plus vaste, peuplé de fils braves et de filles douces qui, à leur tour, nous donneront leurs propres fils, leurs propres filles ?

« Mais il y a plusieurs milliers d'années, un grand Tyee avait deux filles qui sont devenues femmes lors du même printemps, lorsque la première grande montée de saumon a envahi les rivières et que les buissons d'olallies* étaient en pleine floraison. Ces deux filles étaient jeunes, adorables et oh ! très belles. Leur père, le grand Tyee, préparait une fête telle que la Côte n'en avait jamais connue. L'on prévoyait des jours et des jours de réjouissances ; les gens allaient venir de grandes lieues, ils apporteraient des cadeaux pour les filles et recevraient des cadeaux de grande valeur du chef. L'hospitalité règnerait aussi longtemps que les pieds enjoués pourraient danser, que les lèvres amusées riraient et que les bouches profiteraient du poisson, des jeux et des olallies du chef, toutes choses excellentes.

---

* En langue chinook, sorte de ronce comparable au framboisier. (NdT)

«La seule ombre dans ce tableau joyeux était la guerre. La tribu du grand Tyee faisait alors la guerre aux Indiens de la Côte d'en Haut, ceux qui vivaient au nord, près de ce que les visages pâles nomment le port de Prince Rupert. Des canots de guerre géants montaient et descendaient la côte entière, des chants guerriers brisaient le silence de la nuit ; la haine, la vengeance, les conflits, l'horreur festoyaient partout comme des plaies sur la surface de la Terre. Mais après des semaines de combats, le grand Tyee s'est tourné et a ri de la bataille et du carnage, car il avait été victorieux à chaque rencontre. Il pouvait bien se retirer de la discorde pour une brève semaine et festoyer en l'honneur de sa fille, ne permettant ainsi à aucun étranger de s'interposer entre lui et les traditions de sa race et de son ménage. Alors il tendit une oreille sourde à leurs cris de guerre, de manière à les insulter ; il ignora avec une arrogance indifférente leurs coups de rame, leur présence provocante le long de ses propres rivages côtiers ; et il se prépara, comme un grand Tyee doit le faire, à divertir royalement les hommes de sa tribu en l'honneur de ses filles.

«Mais sept soleils avant la grande fête, les deux jeunes filles vinrent vers lui, la main dans la main.

«"Oh! notre père!", dirent-elles, "pouvons-nous te parler ?"

«"Parlez, mes filles, mes filles aux yeux d'avril, aux cœurs de juin" (un printemps hâtif et un été hâtif seraient des formulations plus exactes en langue indienne).

«"Un jour, oh! notre père, nous pourrons enfanter un fils d'homme, qui grandira jusqu'à devenir un

5

Tyee aussi puissant que toi et, en raison de cet honneur qui pourrait être le nôtre, nous sommes venues solliciter une faveur de ta part – toi, oh! notre père".

«"À l'occasion de cette célébration, c'est votre privilège de recevoir toute faveur que vos cœurs pourraient souhaiter", répondit-il avec grâce, en posant ses doigts sous leurs mentons de jeunes filles. "Cette faveur vous est accordée avant même que vous ne la demandiez, mes filles".

«"Voudrais-tu, tel que nous te le demandons, inviter la grande tribu hostile du Nord – la tribu que tu combats – à l'occasion de notre fête?", demandèrent-elles avec bravoure.

«"Pour une fête pacifique, une fête en l'honneur des femmes?" s'exclama-t-il, incrédule.

«"Tel est notre désir", répondirent-elles.

«"Alors, qu'il en soit ainsi", déclara-t-il. "Je ne peux rien vous refuser en ce jour, et un jour vous pourriez porter des fils qui béniraient cette paix que vous avez demandée, et vous pourriez bénir les aïeux de leur mère de vous l'avoir accordée". Puis il se tourna vers les jeunes hommes de la tribu et ordonna : "Érigez des feux au crépuscule sur tous les promontoires de la côte; des feux de bienvenue. Prenez vos canots et faites face au nord, accueillez vos ennemis, et dites-leur que moi, le Tyee des Capilano, je demande – non, j'ordonne qu'ils se joignent à moi à l'occasion d'une grande fête en l'honneur de mes deux filles". Et lorsque la tribu du Nord reçut cette invitation, ses membres affluèrent vers le sud de la côte pour participer à cette fête de la Grande Paix. Ils amenèrent leurs femmes et leurs enfants; ils apportèrent du gibier et du poisson, de l'or et des perles à collier blanches, des paniers et des louches sculptées et de magnifiques couvertures tissées pour déposer aux pieds de leur nouveau chef, le grand Tyee. En retour, celui-ci donna un tel potlatch que, selon la tradition, rien ne pouvait rivaliser avec lui. Ce furent de longues et heureuses journées de joie, de longues et plaisantes nuits de danse et de feux de camp, agrémentées de grandes quantités de nourriture. Les canots de guerre furent vidés de leurs armes meurtrières et remplis de la prise de saumon quotidienne. Les chansons de guerre hostiles cessèrent et l'on entendit les bruits de pas traînants des pieds dansants, les voix chantantes des femmes, les jeux des enfants des deux tribus puissantes qui avaient été jusqu'alors des ennemies, car une fraternité grande et durable avait été conclue entre eux. Leurs chansons de guerre étaient terminées pour l'éternité.

«Puis, le Sagalie Tyee sourit à ses enfants indiens : "Je rendrai ces deux jeunes filles immortelles", dit-il. Dans le creux de Ses mains, Il leva les deux filles du chef et les installa pour toujours dans un endroit élevé, car elles avaient donné naissance à deux progénitures, la Paix et la Fraternité ; chacune était devenue un grand Tyee qui dirige cette terre.

«Et sur la crête de la montagne, l'on peut apercevoir les filles du chef emballées dans les soleils, les neiges, les étoiles de chaque saison. Car elles se tiennent dans cet endroit élevé depuis des milliers d'années, et s'y tiendront encore durant des milliers d'années à venir, surveillant la paix de la côte du Pacifique et le calme du Canyon Capilano».

—◄⟨•⟩►—

Voilà la légende indienne des «Lions de Vancouver»
telle que je l'ai reçue de la part de celui qui ne me
racontera plus, désormais, les traditions de son peuple.

Le rocher Siwash

UNIQUE ET DIFFÉRENT de son milieu naturel, il surgit à l'entrée des Narrows, pilier symétrique composé de solides pierres grises évoquant davantage le travail de l'homme qu'un caprice de la nature. Aucune formation géologique semblable n'apparaît à l'observateur attentif, même après avoir pagayé durant plusieurs journées le long de la côte. Parmi toutes les merveilles, les beautés de la nature qui encerclent Vancouver, le prodige des montagnes profilées en lions accroupis et en castors songeurs, les canyons béants, les formidables sapins et cèdres de la forêt, le rocher Siwash se dresse, si distinct et particulier qu'il semble appartenir à une autre sphère céleste.

La première fois que je l'ai vu, à la tombée du jour, il baignait dans la lumière oblique d'un soleil d'août rougeoyant ; le petit duvet d'arbustes verts coiffant son sommet était noir contre l'écarlate de la mer et du ciel, et son socle colossal de pierres grises étincelait comme du granit flamboyant. Mon vieux guide a alors pointé dans sa direction la lame de sa pagaie. «Vous connaissez l'histoire ?», a-t-il demandé. J'ai secoué la tête de gauche à droite (l'expérience m'a enseigné son amour des réponses silencieuses, sa prédisposition à raconter des légendes). Pendant quelque temps, nous avons pagayé lentement; le rocher s'est détaché de la forêt et du rivage à l'arrière-plan. Dorénavant, il se dressait comme une sentinelle: droit, stable et éternel.

«Croyez-vous qu'il se tient droit, comme un homme?», a-t-il demandé.

«Oui, comme un esprit noble, un fier guerrier», ai-je répondu.

«C'est un homme», dit-il, «et un guerrier, aussi; un homme qui a combattu pour tout ce qui est noble et droit».

«Qu'entendez-vous par tout ce qui est noble et droit, Chef?», ai-je demandé, curieuse de saisir ses idées. Jamais je n'oublierai sa réponse. Elle tenait en deux mots; des mots étonnants, stupéfiants. Il a dit simplement:

«Paternité immaculée».

Dans mon esprit ont alors défilé des souvenirs délirants de nombreux articles parus dans d'aussi nombreuses revues qui portaient sur l'«engouement» récent de la maternité; mais je devais entendre la seule explication que je n'aie jamais entendue sur la noblesse de la «paternité immaculée» de la bouche d'un chef indien squamish. Cette explication est une légende indienne qui existe depuis des siècles; et, au cas où ils oublieraient l'importance éternelle de ces deux mots brefs, le rocher Siwash, planté là par la divinité comme un monument pour celui qui a mené une vie pure, s'élève pour la leur rappeler; et cette

pureté est peut-être l'héritage des générations futures.

Il y a de cela «des milliers d'années» (toutes les légendes indiennes débutent à une époque très reculée) qu'un beau jeune chef a voyagé dans son canot jusqu'à la Côte d'en Haut pour aller revoir la timide jeune femme du Nord qu'il allait ramener chez lui pour en faire son épouse. Même s'il n'était alors qu'un garçon, le jeune chef avait démontré qu'il était un excellent guerrier, un chasseur sans crainte et un homme à la fois droit et courageux parmi les siens. Sa tribu l'aimait, ses ennemis le respectaient, et les méchants et les lâches le redoutaient.

À ses yeux, les coutumes et les traditions de ses ancêtres représentaient une religion positive; les opinions et les conseils des gens mûrs étaient sa foi. Conservateur dans l'exercice de chaque rite et rituel de sa race, il combattait ses ennemis à la manière du sauvage qu'il était. Il chantait ses chansons guerrières, dansait ses danses de guerre et tuait ses ennemis, mais il traitait la jeune fille-épouse du Nord avec la même déférence qu'il témoignait à sa propre mère : car un jour, ne serait-elle pas la mère de son fils guerrier?

L'année s'écoula, les semaines se transformèrent en mois, l'hiver fit place au printemps et, lors d'un été splendide, à l'aube, il s'éveilla au son de sa voix qui l'appelait. Elle se tenait à ses côtés, souriante.

«Ce sera aujourd'hui», annonça-t-elle avec fierté. Il se leva de sa couche de peaux de loups et regarda vers le jour naissant : la promesse que celui-ci apportait semblait respirer à travers la forêt. Il lui prit la main très doucement et l'amena en bas, à travers l'enchevêtrement de plantes sauvages, jusqu'au bord de l'eau, là où le lieu splendide que nous, modernes, appelons Stanley Park, fait un coude vers Prospect Point.

«Je dois nager», lui dit-il.

«Je dois nager aussi», dit-elle en souriant. Cela, dans la parfaite compréhension mutuelle de deux êtres destinés l'un pour l'autre. Car, pour eux, la vieille coutume indienne faisait office de loi; cette coutume voulait que les parents d'un enfant sur le point de naître nagent jusqu'à ce que leur chair soit si pure et propre qu'un animal sauvage ne peut sentir leur proximité. Si les créatures sauvages de la forêt n'ont pas peur d'eux, alors – et alors seulement – ils sont voués à devenir parents, car sentir un humain est, en soi, une chose effrayante pour l'ensemble des créatures sauvages.

Au moment où l'aube grisâtre a voilé les cieux de l'est et où la forêt s'est éveillée à la vie lors de ce jour nouveau et heureux, ces deux êtres ont plongé dans les eaux des Narrows. À cet instant, il l'a amenée vers le rivage et elle s'est faufilée, souriante, sous les arbres géants. «Je dois être seule», dit-elle, «mais reviens me voir au lever du soleil : à ce moment, je ne serai plus seule». Il sourit à son tour, puis replongea dans la mer. Il devait nager, nager, nager à cette heure où sa propre paternité venait à sa rencontre. Selon la loi, il devait être propre, d'une propreté immaculée; ainsi, lorsque son enfant regarderait vers le monde, il aurait la chance de vivre sa vie de manière pure. S'il cessait de nager une heure après l'autre, son enfant aurait un père impur. Or il devait donner toutes les chances à son enfant dans la vie; il ne devait pas lui nuire

13

en étant impur à sa naissance. Telle était la loi de la tribu, la loi de la pureté inconditionnelle.

Comme il nageait avec joie en allant et venant, un canot dans lequel prenaient place quatre hommes pointa à l'embouchure des Narrows. Ces hommes avaient une stature géante et la brisure de leurs lames créait d'énormes tourbillons qui bouillonnaient, telles des marées troublées.

«Hors de notre chemin!», crièrent-ils à l'homme, au moment où son corps agile, de couleur cuivrée, surgit puis retomba de son élan splendide. Bien qu'ils fussent des géants, il les regarda en riant et leur répondit qu'il ne pouvait cesser sa nage comme ils le demandaient.

«Mais vous devez arrêter!», lui commandèrent-ils. «Nous sommes les hommes du Sagalie Tyee, et nous vous ordonnons de regagner le rivage et de vous écarter de notre route!» (Dans ces légendes de la côte indienne, je remarque que les dieux sont habituellement représentés par quatre hommes qui pagayent dans un énorme canot). Il arrêta de nager et, relevant la tête, les défia. «Je ne vais ni m'arrêter ni retourner au rivage à l'instant même», affirma-t-il, se dirigeant une fois de plus au milieu du canal.

«Oses-tu nous désobéir», crièrent-ils, «nous, les hommes du Sagalie Tyee? Nous pouvons te changer en poisson, en arbre ou en pierre pour ta désobéissance; oses-tu désobéir au Grand Tyee?»

«Je défierai tout pour protéger la propreté et la pureté de mon enfant qui se prépare à naître. Je défierais le Sagalie Tyee lui-même, car mon enfant doit naître à une vie immaculée».

Les quatre hommes étaient accablés. Alors ils se sont consultés, ils ont allumé leurs pipes, et ils ont formé un conseil. Jamais auparavant les hommes du Sagalie Tyee n'avaient été défiés. Maintenant, pour l'amour d'un petit enfant qui n'était pas encore né, on les ignorait, on leur désobéissait, on les reniait presque. Le jeune corps agile et cuivré se déplaçait encore dans les eaux froides ; la superstition voulait que si leur canot, ou même leurs pagaies touchaient un être humain, ils perdraient leur pouvoir merveilleux. Le beau et jeune chef nagea directement dans leur course. Ils n'osèrent aller à sa rencontre ; s'ils le faisaient, ils deviendraient comme les autres hommes.

Lorsqu'ils allaient décider de ce qu'ils devaient faire, un son aigu, étrange et retentissant se fit entendre dans la forêt. Ils tendirent l'oreille et le jeune chef cessa sa nage, car il écoutait, lui aussi. À nouveau, un son aigu se fit entendre au-dessus des eaux. C'étaient les pleurs d'un petit, très petit enfant. Puis, l'un des quatre hommes, celui qui gouvernait le canot, le plus fort et le plus grand d'entre eux, se leva ; une fois debout, il tendit les bras vers le soleil levant et chanta, non pour maudire la désobéissance du jeune chef, mais pour célébrer la promesse de jours éternels et de libération de la mort.

«Puisque tu as défié tout ce qui s'interposait sur ton chemin, nous te promettons ceci», chanta-t-il, «tu as défié ce qui risque de miner les chances d'avoir une vie pure pour ton enfant, tu as vécu comme tu souhaites que ton fils vive, tu nous as défiés lorsque nous avons failli arrêter ta nage et paralyser l'avenir de ton enfant. Tu as fait de l'avenir de ton enfant la chose la plus importante ; pour cette raison, le Sagalie Tyee nous ordonne de faire de toi, pour l'éternité, un modèle aux yeux de ta tribu. Tu ne mourras jamais, mais tu siégeras pour des milliers d'années à venir, en ce lieu où tous te verront. Tu vivras, vivras, vivras, comme un monument indestructible de paternité immaculée».

Les quatre hommes ont soulevé leurs pagaies et le beau jeune chef a nagé vers le rivage ; et, lorsque ses pieds ont franchi la ligne de rencontre entre la mer et la terre, il a été transformé en pierre.

Puis, les quatre hommes ont dit, «Sa femme et son enfant devront rester auprès de lui pour toujours, ils ne devront pas mourir, mais vivre également». À leur tour, ils ont été transformés en pierre. Si vous pénétrez dans les bois situés près de Siwash Rock, entre les arbres, vous trouverez un grand rocher et, à proximité, un rocher plus petit. C'est la jeune épouse du Nord, petite et timide, avec son bébé âgé d'une heure à peine. Et depuis les parties extrêmes du monde, des vaisseaux viennent chaque jour, s'élançant et naviguant vers les Narrows. Des ports transpacifiques éloignés, du Nord gelé, des territoires de la Croix du Sud, ils passent et repassent autour du rocher vivant, qui se dressait là bien avant que leurs coques se profilent, qui s'y dressera encore lorsque leurs noms seront oubliés, lorsque leurs capitaines et équipages auront fait leur dernier long voyage, lorsque leur marchandise sera pourrie et que leurs propriétaires ne seront plus connus. Mais le pilier haut et gris s'élèvera encore à cet endroit ; c'est un monument en l'honneur de la fidélité d'un homme à une génération à venir. Et il perdurera d'une éternité à l'autre.

Le reclus

EN VOYAGEANT VERS la course supérieure du fleuve Capilano, à près de deux kilomètres entre la ville et le barrage, vous rencontrerez une cabane de bûcheron abandonnée. Quittez le chemin à cet endroit et empruntez le sous-bois pour vous diriger à quelques centaines de mètres vers la gauche, et vous vous retrouverez à la frontière rocailleuse du fleuve le plus pur, le plus impétueux du Canada. Le courant est hanté de traditions, il grouille d'un nombre incalculable de romances qui rivalisent avec sa grandeur et sa beauté, et ses eaux chuchotent éternellement. J'ai appris cette légende d'un individu dont la voix était aussi mélodieuse que les rapides tourbillonnants ; or, contrairement à eux, cette voix est étouffée à ce jour, tandis que le fleuve, lui, poursuit son chant – il poursuit son chant.

Elle chantait des notes très mélodieuses durant le long après-midi d'août, il y a de cela deux étés, pendant que nous, le chef, sa femme au cœur joyeux et sa jeune fille éveillée flânions parmi les rochers et regardions les nuages paresseux courir d'un sommet à l'autre, loin au-dessus de nous. C'était l'un de ses jours inspirés ; ses lèvres étaient bondées de légendes comme un sifflet taquinant la bouche d'un garçon joyeux ; son cœur débordait d'histoires anciennes, ses yeux étaient assombris de rêves et de cette étrange mélancolie qui les hantait à chaque fois qu'il parlait de romances révolues. Il n'y avait pas un arbre, un rocher ou une course de rapides sur lesquels son regard tombait qu'il ne pouvait associer à une tradition poétique ancienne. Puis, au beau milieu des rêveries verbales qu'il se racontait, il s'est retourné de manière abrupte et m'a demandé si j'étais superstitieuse. Bien entendu, j'ai répondu que je l'étais.

«Penses-tu que certains événements nous causeront des ennuis plus tard – qu'ils nous amèneront le mal ?», a-t-il demandé.

J'ai répondu d'une manière évasive qui a semblé le satisfaire, car il a plongé dans l'étrange histoire du reclus du canyon avec davantage de vigueur que de rêverie ; mais d'abord, il m'a posé une question :

«Qu'est-ce que vos propres tribus, celles qui se trouvent à l'est des grandes montagnes, pensent des enfants jumeaux ?»

J'ai secoué la tête.

«C'est assez», a-t-il dit avant que je ne puisse répondre. «Je vois, votre peuple ne les aime pas».

«Les enfants jumeaux nous sont pratiquement inconnus», répondis-je avec empressement. «Ils sont rares, très rares ; mais il est vrai que nous ne leur réservons pas un bon accueil».

«Pourquoi ?» a-t-il demandé brusquement.

J'hésitai un peu à le lui révéler. Si je disais la mauvaise chose, la prochaine histoire allait peut-être mourir sur ses lèvres avant de naître à la parole ; mais nous nous comprenions si bien l'un l'autre que je risquai enfin de dire la vérité.

«Nous, les Iroquois, disons que les enfants jumeaux sont comme les lapins», expliquai-je. «Le pays surnomme les parents "Tow-wan-da-na-ga". Ce terme mohawk signifie "lapin"».

«Et c'est tout?», me demanda-t-il avec curiosité.

«C'est tout. N'est-ce pas suffisant pour rendre les enfants jumeaux importuns?», le questionnai-je.

Il réfléchit un moment puis, exprimant le désir d'apprendre comment les autres races considéraient la chose, il dit, «Tu t'es beaucoup promenée parmi les Blancs. Que disent-ils à propos des jumeaux?»

«Oh! Les Blancs les aiment. Ils sont… ils sont… oh! eh bien, ils disent qu'ils sont très fiers d'avoir des jumeaux», bafouillai-je. Une fois de plus, j'étais difficilement certaine de mes raisons. Il sembla davantage incrédule, et j'étais vouée à m'enquérir de ce que son propre peuple squamish pensait du problème dont nous discutions.

«Ce n'est pas une fierté pour nous», a-t-il dit avec franchise. «Ce n'est pas non plus une disgrâce de lapins, mais c'est une chose effrayante : un signe du Mal annoncé au père et, pire encore, d'un désastre annoncé à la tribu».

Alors j'ai compris qu'il portait dans son cœur quelque étrange incident qui donnait du poids à la superstition. «Ne me le direz-vous pas?», l'ai-je supplié.

Il s'est penché un peu en arrière contre le rocher géant, a étreint ses genoux de ses mains minces et brunes ; les yeux errant vers le fleuve galopant, puis balayant les eaux chantantes jusqu'où elles se rejoignaient, une fois passé le tournant abrupt. Et pendant le récit de l'étrange légende, à aucun moment ses yeux n'ont quitté ce point où le courant disparaissait dans sa course empressée vers la mer. Sans aucun préambule, il a commencé :

« Par un matin gris, ils l'ont informé du désastre qui s'était abattu sur lui. C'était un grand chef, et il dirigeait plusieurs tribus sur la côte nord du Pacifique. Mais qu'était devenue sa grandeur, maintenant ? Sa jeune épouse avait porté ses jumeaux et elle sanglotait de douleur dans la petite demeure en écorce de sapin située à deux pas de la marée.

« Au-delà du seuil se rassemblaient plusieurs individus, des hommes et des femmes âgés – âgés d'années, de sagesse, des traditions et des apprentissages de leur peuple. Certains pleuraient, certains chantaient solennellement l'hymne funèbre de leurs espoirs et joies perdus qui n'allaient jamais revenir en raison de cette calamité. D'autres discutaient à voix basse de cette chose redoutable et, pendant des heures, leur sérieux conseil ne fut interrompu que par les pleurs des deux nourrissons dans la demeure de sapin, les sanglots désespérés de la jeune mère et les gémissements agonisants du chef affligé, leur père.

« "Quelque chose de terrible va s'abattre sur la tribu", dit le vieil homme dans le conseil.

« "Quelque chose de terrible va s'abattre sur mon époux", pleura la jeune mère affligée.

« "Quelque chose de terrible va s'abattre sur nous tous", répondit, en guise d'écho, le père malheureux.

« Alors survint un très vieux chaman ; il leva les bras

22

et étendit les paumes pour calmer la foule en lamen-
tations. Sa voix était secouée par le poids de nombreux hivers, mais ses yeux encore fervents reflétaient
la pensée et l'esprit limpides qu'ils cachaient, comme
les bassins de truites du fleuve Capilano reflètent
toujours les sommets des montagnes. Ses paroles
étaient impérieuses, ses gestes imposants, ses épaules
droites et bienveillantes. C'était une personnalité et
une figure d'inspiration que personne n'osait contes-
ter, et son jugement faisait l'unanimité lorsque ses
mots tombaient doucement, comme un sort que l'on
jette.

« "Chez les Squamish, une loi ancienne veut que, de
crainte que du mal ne survienne dans la tribu, le père
d'enfants jumeaux se rende loin et seul, afin de se
cacher rapidement dans la montagne où, dans son
isolement et sa solitude, il se prouvera à lui-même
qu'il est plus fort que le Mal menaçant, et ainsi il
repoussera l'ombre qui autrement les suivrait, lui et
son peuple entier. Par conséquent, je nomme pour lui
la longueur des jours qu'il doit passer seul à combattre son ennemi invisible. Grâce à un signe important de la Nature, il découvrira l'heure où le Mal
sera conquis, l'heure où son peuple sera sauvé. Il doit
partir avant que le soleil ne se lève, en emportant pour
tout bagage son arc le plus fort et ses flèches les plus
rapides, et gravir la montagne sauvage, où il restera
seul pendant dix jours, entièrement seul".

«La voix impérieuse s'est tue; la tribu a crié son
assentiment. Le père s'est levé, muet, son visage aux
traits tirés exprimant une grande agonie à l'endroit
de ce bannissement qui semblait bref. Il prit congé de

sa femme en sanglots et des deux minuscules âmes qu'étaient ses fils ; il saisit son arc et ses flèches favoris, puis il affronta la forêt comme un guerrier. Mais une fois les dix jours écoulés, il ne revint pas ; ni après dix semaines, ni après dix mois.

«"Il est mort", pleura la mère dans les oreilles de nourrissons de ses deux fils. "Il ne pouvait lutter contre le Mal menaçant : ce dernier était plus fort que lui. Lui, si fort, fier et brave".

«"Il est mort", répétèrent les hommes et les femmes de la tribu, lui faisant écho. "Notre brave et puissant chef, il est mort". Alors ils portèrent le deuil durant l'année entière, mais leurs chants et leurs pleurs ne firent que raviver leur peine, car leur chef ne revint nullement parmi eux.

«Pendant ce temps, loin dans les hauteurs du Capilano, le chef banni s'était construit un refuge solitaire. Or qui sait quel fatal truchement de bruit, quel courant d'air, quelle note d'hésitation dans la voix du sorcier avait trompé ses oreilles alertes d'Indien ? Quelque destin malheureux lui avait fait entendre que sa solitude durerait dix ans – et non dix jours –, et il avait accepté cet ordre avec l'héroïsme d'un stoïque. Car il croyait que s'il refusait d'agir ainsi, le désastre menaçant l'épargnerait, que le Mal se jetterait sur sa tribu. Ainsi, un nom de plus fut ajouté à la longue liste des âmes oublieuses d'elles-mêmes, qui adhéraient à la croyance d'après laquelle : "Il est approprié qu'un seul souffre pour le peuple". C'était l'héroïsme ancien du sacrifice interposé.

«Avec son couteau de chasse, le chef banni dépouilla l'écorce des sapins et des cèdres, afin de construire un refuge au bord du fleuve Capilano, où l'on pouvait harponner la truite et le saumon bondissants à l'aide de têtes de flèches attachées à des tiges longues, habilement taillées. Pendant la durée de la pêche au saumon, il fuma et sécha le poisson avec l'attention d'une ménagère. Les moutons et les chèvres des montagnes, et même des ours énormes, de couleur noir et cannelle, tombèrent devant ses flèches infaillibles. Les cerfs agiles ne revinrent jamais dans leur repaire après la soirée où ils s'étaient abreuvés au bord du torrent – leurs cœurs sauvages, leurs corps vifs étaient calmes lorsqu'il les a ciblés. Des jambons et des râbles fumés pendaient en rangées sur les poutres traversant son refuge d'écorce, et de magnifiques peaux d'animaux tapissaient ses planchers, matelassaient son divan et habillaient son corps. Il teignit les peaux douces de biches, en fit des jambières, des mocassins et des chemises, les cousant ensemble avec des ligaments de cerfs, comme il avait vu sa mère le faire jadis. Il cueillit des baies juteuses, dont les acides apportaient une variation sylvestre et saine à un régime de viande et de poisson. Un mois après l'autre, et une année après l'autre, il s'asseyait aux côtés de son feu de camp isolé, dans l'attente que sa longue période de solitude se termine. Son confort solitaire était qu'il supportait le désastre, combattait le Mal, afin que sa tribu demeure indemne, que son peuple soit sauvé de la calamité. Lentement, avec labeur, sa dixième année d'exclusion arriva ; jour après jour, elle traînait ses longues semaines dans son cœur impatient ; car la Nature n'avait pas encore manifesté le signe indiquant que sa longue probation était terminée.

«C'est alors que, lors d'un jour chaud d'été, l'Oiseau-Tonnerre a rasé les montagnes au-dessus de lui. Du haut des bras du Pacifique roulait un nuage d'orage et l'Oiseau-Tonnerre, les yeux éclatants, a battu de ses ailes, énormes et vibrantes, sur les rochers escarpés et le canyon.

«En amont du fleuve, une haute colonne de granit érige son profil longiligne, semblable à une aiguille. Elle se nomme "Pierre-Tonnerre" et les hommes sages parmi les Blancs disent qu'elle est riche de minéraux : de cuivre, d'argent, et d'or. À la base de cette colonne s'accroupissait le chef squamish, lorsque le nuage d'orage s'est brisé et a rugi à travers les chaînes de montagnes ; et l'Oiseau-Tonnerre s'est dressé à son sommet, ses ailes gigantesques battant l'air de sons retentissants, fendant les terreurs, comme le fracas d'un cèdre géant qui tombe en bas d'une montagne.

«Mais lorsque le battement de ces ailes noires a cessé et que l'écho de leurs vagues de tonnerre est allé mourir dans les profondeurs du canyon, le chef Squamish s'est levé, tel un nouvel homme. L'ombre qui ternissait son âme avait disparu ; les peurs du Mal étaient maîtrisées et conquises. Il sentit dans son cerveau, dans son sang, ses veines et ses muscles que le poison de la mélancolie avait disparu. Il avait racheté sa faute d'avoir engendré des jumeaux ; il avait rempli les exigences de la loi de sa tribu.

«Lorsqu'il entendit le dernier battement d'ailes de l'Oiseau-Tonnerre mourir lentement, faiblement ; faiblement parmi les rochers escarpés, il sut que l'oiseau était mourant, lui aussi, car son âme quittait son corps de monstre noir, et maintenant l'âme apparaissait dans le ciel. Il pouvait la voir, cambrée au-dessus de lui, avant qu'elle n'entreprenne son long voyage vers les Terres de la chasse abondante, car l'âme de l'Oiseau-Tonnerre formait un demi-cercle radieux de couleurs magnifiques qui se chevauchaient d'un sommet à l'autre. Alors, il a levé la tête, reconnaissant le signe que le sorcier lui avait dit d'attendre – le signe indiquant que son long bannissement était terminé.

«Et pendant toutes ces années, en bas dans le pays de marées, les petits jumeaux au visage cuivré demandaient, avec une sagesse enfantine, "Où est notre père ? Pourquoi n'avons-nous pas de père, comme les autres garçons ?" Et ils se heurtaient sans cesse à la même réponse, "Votre père n'est plus de ce monde. Votre père, le grand chef, est mort."

«Mais une étrange intuition filiale inspirait aux garçons que leur géniteur allait un jour revenir. Souvent, ils exprimaient ce sentiment à leur mère, mais celle-ci, prise de larmes, répondait que même la sorcellerie du vénérable chaman ne réussirait pas à le ramener parmi eux. Or lorsqu'ils atteignirent l'âge de dix ans, les deux enfants sont allés vers leur mère, main dans la main. Ils étaient armés de leurs petits couteaux de chasse, de leurs lances au saumon et de leurs arcs et flèches minuscules.

«"Nous partons à la recherche de notre père", annoncèrent-ils.

«"Oh ! c'est une quête inutile", gémit leur mère.

«"Oh ! c'est une quête inutile", répondirent les membres de la tribu, lui faisant écho.

«Mais le vénérable chaman dit, "Peut-être que leurs yeux le voient. Le cœur d'un enfant a des oreilles invisibles. Laissez-les aller". À partir de ce jour, les enfants se rendirent dans la forêt, leurs jeunes pieds volant comme s'ils étaient chaussés d'ailes ; leurs jeunes cœurs pointant vers le nord, à l'instar du compas de l'homme blanc. Jour après jour, ils voyagèrent en remontant le fleuve, jusqu'à ce qu'au tournant d'un coude abrupt, ils aperçoivent un refuge d'écorce, dont le toit laissait s'échapper une légère volute de fumée bleue.

«"C'est la maison de notre père", se dirent-ils l'un l'autre, car leurs cœurs d'enfants répondaient sans faillir à l'appel de la parenté. Main dans la main, ils s'approchèrent et, lorsqu'ils entrèrent dans la résidence, ils prononcèrent un seul mot : "Viens !".

«Le grand chef Squamish tendit les bras vers eux, puis vers le fleuve qui s'esclaffait et, enfin, vers les montagnes.

«"Bienvenue, mes fils !", dit-il. "Au revoir, mes montagnes, mes frères, mes rochers escarpés et mes canyons !" Un enfant dans chaque main, il affronta, une fois de plus, le pays des marées».

La légende était terminée.

Pendant un long moment, le chef demeura assis en silence. Il avait cessé de regarder le coude, là où les deux enfants de la légende étaient arrivés et où les yeux du reclus les avaient aperçus pour la première fois, après dix ans de solitude.

Le chef dit encore : « C'est ici, à l'endroit où nous sommes assis, qu'il construisit son refuge. C'est ici que pendant dix ans, il demeura seul, entièrement seul ».

Je hochai la tête en silence. La légende était trop belle pour être gâchée de commentaires et, lorsque le crépuscule tomba, nous nous frayâmes un sentier à travers le taillis, au-delà du camp de bûcherons abandonné, jusqu'au sentier menant vers la ville.

La pêche au saumon perdue

L A PÊCHE AVAIT ÉTÉ formidable, et la saison du saumon rouge était presque terminée. Pour cette raison, je me suis demandé à plusieurs reprises pourquoi ma vieille amie, la klootchman, n'avait pas réussi à se joindre à une flottille de pêche. C'était une ouvrière inlassable, qui rivalisait avec son mari à titre d'expert à attraper des poissons, et durant l'année, elle parlait surtout de la pêche au saumon à venir. Mais pendant cette saison exceptionnelle, elle ne s'était pas présentée parmi ses compagnons. La flotte et la conserverie ne savaient rien à son sujet et, lorsque j'ai mené une enquête parmi les membres de sa tribu, ils ont répondu sans donner d'explications : «Elle n'est pas ici cette année».

Mais lors d'un après-midi roux de septembre, je l'ai trouvée. J'avais emprunté lentement le sentier qui descendait du bassin des cygnes à Stanley Park, jusqu'au bord des Narrows, lorsque j'ai aperçu son canot arqué à la proue et gracieux qui faisait face à la plage, le lieu de débarquement favori des «tillicums» de la Mission. Son canot ressemblait à un objet artisanal de rêve ; l'eau était très calme et partout une pellicule bleue pendait, tel un voile odorant, car la tourbe de l'île Lulu s'était consumée pendant des jours et ses odeurs fortes, alliées à la brume couleur bleu gris, façonnaient un monde imaginaire de mer, de rivage et de ciel.

Je me suis hâtée vers le rivage, l'ai saluée en langue chinook et lorsqu'elle a entendu ma voix, elle a levé sa pagaie directement au-dessus de sa tête, faisant le signal d'accueil indien.

Au moment où elle accostait, je l'ai accueillie avec empressement, les mains étendues afin de l'aider à avancer vers le rivage, car la klootchman était en train de devenir une vieille femme, bien qu'elle pagayât encore à contre-courant de la marée comme un garçon adolescent.

«Non», a-t-elle répondu, lorsque je l'ai implorée de s'avancer vers le rivage. «Je vais attendre. Je viens seulement chercher Maarda; elle venue en ville et elle revient bientôt, maintenant». Puis, elle a abandonné son attitude «travaillante» et s'est pelotonnée dans la proue du canot comme une écolière, plaçant ses coudes sur la pagaie qu'elle avait sortie et placée sur les plats-bords.

«Vous m'avez manqué, klootchman. Vous n'êtes pas venue me rendre visite depuis trois mois; et vous n'avez pêché ni ne vous êtes rendue dans les conserveries», lui fis-je remarquer.

«Non», dit-elle, «cette année, je reste à la maison». Puis, elle se pencha vers moi, les gestes, les yeux et la voix empreints d'une certaine gravité, et elle ajouta: «J'ai un petit-enfant; né première semaine de juillet, alors je reste à la maison».

Voilà qui expliquait son absence. Je l'ai félicitée, bien entendu, et me suis informée à propos du grand événement, car c'était son premier petit-enfant, et celui-là était important.

«Et en ferez-vous un pêcheur?», demandai-je.

«Non, non, pas petit-garçon; petite-fille», répondit-elle, d'une expression indescriptible par laquelle je compris qu'elle préférait qu'il en soit ainsi.

«Vous êtes heureuse que ce soit une fille?», lui demandai-je, surprise.

«Très heureuse», répondit-elle de manière catégorique. «Grande chance que le premier petit-enfant soit fille. Notre tribu pas comme la vôtre; nous voulons d'abord filles; nous pas vouloir que garçons naissent seulement pour combat. Gens de votre peuple pensent surtout à la guerre; notre tribu plus pacifique. Pour nous, bon augure que premier enfant soit fille. Moi te dire pourquoi: fille sera elle-même mère un jour; et c'est chose extraordinaire être mère».

J'ai senti que j'avais saisi le secret de ce qu'elle voulait dire. Elle se réjouissait, car cette petite enfant allait devenir un jour l'une des mères de sa race. Nous en discutâmes un peu et elle me fit quelques «piques» enjouées à propos de ma tribu, qui se souciait beaucoup moins de la maternité que la sienne, et tellement plus des combats. Puis, notre conversation a dérivé vers le saumon rouge et le hyiu chickimin, la grande richesse que les Indiens allaient s'approprier.

«Oui, hyiu chickimin, beaucoup argent», a-t-elle répété, en poussant un soupir de satisfaction. «Toujours beaucoup argent; et hyiu muck-a-muck, beaucoup à manger durant grande pêche au saumon. Que jamais mauvaise année revienne où pas de poisson».

«Quand était-ce?», demandai-je.

«Avant que toi née, ou moi, ou», dit-elle, pointant vers l'autre côté du parc la ville éloignée de Vancouver, qui exaltait sa richesse et sa beauté durant cet après-midi de septembre, «avant que ce lieu existe, avant que l'homme blanc vienne ici – oh! très longtemps».

Chère vieille klootchman! Je savais, grâce à son regard ténébreux, qu'elle était retournée dans sa Terre de légendes et que bientôt, je posséderais un plus riche trésor de légendes indiennes. Elle s'est assise, prenant place de nouveau sur sa pagaie; ses yeux, à demi clos, se reposaient en regardant les contours éloignés des hauteurs floues, de l'autre côté du bras de mer. Je ne devrais plus transcrire son anglais cassé, car ce n'est que l'ombre de son histoire et, sans sa personnalité unique, la légende serait comme une fleur dépourvue à la fois de couleurs et de parfum. Elle la nomma «La pêche au saumon perdue».

«L'épouse du Grand Tyee n'était qu'un petit bout de fille, mais le monde entier était jeune à cette époque; même le fleuve Fraser était jeune et petit. Il était très différent du puissant cours d'eau qu'il est devenu de nos jours, mais les saumons rouges surpeuplaient sa gorge, comme ils le font encore aujourd'hui; et les tillicums attrapaient, salaient et fumaient le poisson, comme ils l'ont fait cette année, comme ils le feront à l'avenir. Mais c'était à nouveau l'hiver; les pluies étaient inclinées et les brouillards à la dérive, lorsque l'épouse du Grand Tyee s'est levée devant lui et qu'elle lui a dit:

34

« "Avant la pêche au saumon, je devrais te faire un cadeau grandiose. M'honoreras-tu davantage si ce cadeau est un garçon ou une fille ?" Le Grand Tyee aimait sa femme. Il était sévère avec les siens et dur avec sa tribu ; il dirigeait ses conseils autour du feu avec une volonté de fer. Son chaman disait qu'il n'y avait pas de cœur humain dans son corps ; ses guerriers disaient qu'il n'y avait pas de sang humain dans ses veines. Mais il a serré les mains de cette femme et ses propres yeux, ses lèvres et sa voix, étaient doux comme les siens à elle, lorsqu'il a répondu :

« "Donne-moi une fille, une petite fille, afin qu'elle devienne comme toi en grandissant et, en retour, qu'elle donne des enfants à son mari".

« Mais lorsque les gens de la tribu ont entendu cela, ils se sont levés, très en colère. Ils l'ont entouré en formant un large cercle indigné. Ils ont alors déclaré : "Tu es l'esclave de cette femme et maintenant, tu désires devenir l'esclave d'un bébé fille. Nous voulons un héritier, un garçon qui sera notre Grand Tyee au cours des années à venir. Lorsque tu seras vieux et las des affaires de la tribu, lorsque tu seras assis, enveloppé dans ta couverture sous le chaud soleil d'été, parce que ton sang sera vieux et clair, que pourra faire une fille pour t'aider, pour nous aider ? Qui sera donc notre Grand Tyee ?"

« Il se tenait au centre du cercle menaçant, les bras repliés, le menton levé, les yeux durs tels du silex. D'une voix aussi froide que la pierre, il répondit :

« "Peut-être qu'elle vous donnera un tel garçon et, si c'est le cas, cet enfant sera le vôtre ; il vous appartiendra, et non à moi ; il deviendra la possession du peuple. Mais si l'enfant est une fille, elle m'appartiendra, elle sera mienne. Vous ne pouvez me l'enlever comme vous m'avez enlevé à ma parenté maternelle, en me forçant à oublier mon père âgé pour servir la tribu. Elle m'appartiendra, elle sera la mère de mes petits-enfants, et son mari sera mon fils".

«"Tu ne te soucies pas du bien-être de ta tribu. Tu te soucies seulement de tes propres souhaits et désirs", se rebellèrent-ils. "Imagine que la pêche au saumon soit mauvaise, nous n'aurons pas de nourriture ; imagine qu'il n'y ait pas de garçon, alors nous n'aurons pas de Grand Tyee pour nous montrer comment obtenir de la nourriture auprès des autres tribus, et nous serons affamés".

«"Vos cœurs sont noirs et exsangues", hurla le Grand Tyee, en se tournant vers eux avec fierté, "et vos yeux sont aveugles. Souhaitez-vous que la tribu oublie combien formidable est la présence d'une enfant qui, un jour, deviendra elle-même une mère, et qui donnera à vos enfants et petits-enfants un Grand Tyee? Les gens sont-ils voués à vivre, à grandir, à s'améliorer, à devenir plus puissants sans les femmes mères qui porteront leurs fils et filles à venir? Vos esprits sont morts et vos cerveaux endormis. Or malgré votre ignorance, vous demeurez toujours mon peuple : vous méritez, ainsi que vos souhaits, d'être considérés. J'appelle donc, afin qu'ils se réunissent ici, les grands chamans, les sorciers et les hommes de magie. Ils devront décider des lois qui suivront la naissance d'un garçon ou d'une fille. Qu'en dites-vous, oh! hommes puissants?"

«Des messagers ont alors été envoyés de haut en

bas de la région côtière, très haut en amont du fleuve Fraser et très loin dans les terres de la vallée de l'intérieur, rassemblant durant leur voyage les hommes de magie qu'ils trouvaient sur leur passage. Jamais n'avait-on vu tant de chamans réunis en conseil auparavant. Pendant plusieurs jours, ceux-ci ont érigé des feux, dansé et chanté. Ils ont parlé avec les dieux de la montagne et les dieux de la mer ; puis "le pouvoir" de la décision est descendu jusqu'à eux. Ils ont été inspirés d'un choix qu'ils ont présenté devant les gens de la tribu, après quoi le plus vieux chaman de la région côtière s'est levé et a énoncé leur résolution :

«"Les gens de la tribu ne peuvent avoir tout ce qu'ils désirent. Ils veulent que l'enfant qui naîtra soit un garçon et ils veulent aussi une grande pêche au saumon. Ils ne peuvent avoir les deux. Le Sagalie Tyee nous a révélé à nous, grands hommes de magie, que l'obtention de ces deux choses rendrait les gens arrogants et égoïstes. Ils doivent choisir entre les deux."

«"Faites votre choix, oh ! vous, gens ignorants de la tribu", a alors ordonné le Grand Tyee. "Les hommes sages de la Côte ont dit que la fillette qui un jour portera ses propres enfants apportera aussi du saumon en abondance à sa naissance ; mais le garçon ne vous apportera que sa propre personne".

«"Laisse tomber le saumon", crièrent les gens, "mais donne-nous un futur Grand Tyee. Donnenous le garçon".

«Et lorsque l'enfant naquit, c'était un garçon.

«"Le mal se jettera sur vous", pleura le Grand Tyee. "Vous avez méprisé une femme mère qui a donné naissance. Vous souffrirez du mal et de la famine, de la faim et de la pauvreté, oh! gens stupides de la tribu! Ne savez-vous pas combien une fillette est chose formidable?"

«Ce printemps, des gens de nombreuses tribus ont remonté le fleuve Fraser pour la pêche au saumon. Ils ont parcouru de grandes distances, depuis les montagnes, les lacs, les terres arides éloignées, mais aucun poisson n'est apparu dans les vastes fleuves de la côte du Pacifique. Les gens avaient fait leur choix. Ils avaient oublié l'honneur qu'une mère-enfant leur aurait apporté. Ainsi, ils ont été privés de nourriture. Ils ont été frappés par la pauvreté. Au cours du long hiver qui s'ensuivit, ils ont enduré la faim et la famine. Depuis ce temps, notre tribu a toujours accueilli les fillettes : nous ne voulons plus de pêches au saumon perdues».

Au moment de conclure, la klootchman leva les bras, abandonnant sa pagaie; ses yeux cessèrent de fixer les contours irréguliers des montagnes pourpres. Elle était revenue à cette année de grâce; sa Terre de légendes avait disparu.

«Alors», ajouta-t-elle, «vous voyez peut-être pourquoi, maintenant, moi heureuse que mon petit-enfant soit fille; ça veut dire grande pêche au saumon l'an prochain».

«C'est une belle histoire, vieille dame», répondis-je, «et j'éprouve un plaisir cruel à ce que vos hommes de magie aient puni les gens pour leur choix stupide».

«Parce que vous-même petite fille», dit-elle en riant.

Il y avait une faible rumeur de pas derrière moi.

Je me retournai pour apercevoir Maarda presque à la hauteur de mon coude. La marée qui s'élevait déporta le canot de la rive et, au moment où Maarda y monta et où la vieille dame glissa vers l'arrière du canot, il se mit à flotter.

«Kla-how-ya», dit la klootchman en hochant de la tête, au moment où elle trempait la lame de sa pagaie en un silence exquis.

«Kla-how-ya», répondit Maarda en souriant.

«Kla-how-ya, tillicums!», répondis-je en les regardant glisser dans le paysage flou pendant un long moment, jusqu'à ce que le canot se fonde dans le pourpre et le gris du rivage éloigné.

Les eaux profondes

AU MOMENT OÙ votre bateau quitte les Narrows pour se faufiler dans les magnifiques voies d'eau qui mènent à l'île de Vancouver, vous apercevrez, loin derrière votre épaule gauche, le sommet du mont Baker habillé de sa blancheur éternelle et reflétant toujours la splendeur merveilleuse du soleil levant, l'or de midi, ou le coucher du soleil pourpre et ambré. C'est le mont Ararat, qui appartient aux gens de la côte du Pacifique; et les lecteurs familiarisés avec les coutumes et les croyances des races primitives approuveront le fait qu'il est difficile de découvrir, quelque part dans le monde, une race qui n'a pas un récit quelconque à propos du Déluge, car ses gens l'ont répertorié et localisé afin qu'il corresponde à la compréhension et aux conditions du pays qui fait partie de leur monde immédiat.

Parmi l'ensemble des nations rouges d'Amérique, je doute que deux tribus partagent des idées semblables à propos du Déluge. Certaines traditions qui se rattachent à ce grand caprice de la Nature sont grotesques à l'extrême; certaines sont impressionnantes; d'autres sont même profondes. Mais de toutes les histoires de Déluge que j'ai été en mesure de rassembler, je n'en connais pas une seule qui atteigne une telle beauté par sa conception ou qui rivalise, dans sa réalité possible et dans sa vérité, avec la légende squamish intitulée «Les eaux profondes».

Je cite ici la légende de «mon propre peuple», à savoir les tribus iroquoises de l'Ontario, à propos du Déluge. Je le fais pour étayer la couleur des contrastes en des tons plus riches, car je suis prête à admettre que nous, qui sommes fiers de notre tradition ancienne, n'avons qu'une légende enfantine du Déluge lorsque nous la comparons aux annales jalousement préservées des Squamish, qui célèbrent davantage l'histoire que la tradition. Au sein de «mon propre peuple», les animaux jouent un rôle beaucoup plus important, et ils jouissent d'une intelligence plus raffinée que celle des humains. Dans mes notes, je ne retrouve pas une seule tradition iroquoise au sein de laquelle les animaux n'ont pas leur place, et notre récit du Déluge demeure entièrement centré sur l'intelligence de créatures qui traversent les mers et les rivières. Pour nous, les animaux des temps anciens étaient plus grands que l'homme ; mais il n'en va pas de même chez les Indiens de la Côte, à l'exception de rares exemples.

Lorsqu'un Indien de la Côte consent à vous raconter une légende, il va commencer ainsi, sans aucune variation : «C'était avant que n'arrive le peuple blanc».

Suivra la question que vous poserez naturellement : «Mais qui était ici, à cette période ?».

Alors il répondra : «Des Indiens, et seulement les arbres, les poissons et quelques oiseaux».

Alors vous êtes prêt à accepter que le monde animal se compose d'espèces qui cohabitent sur les rives du Pacifique ; mais l'Indien ne vous amènera pas à croire qu'il les perçoit comme des égaux, et encore moins comme des êtres supérieurs. Mais pour revenir à «mon propre peuple», celui-ci place l'intelligence des animaux sauvages bien au-dessus de celle de l'homme, peut-être pour la simple raison que lorsqu'un animal est malade, il apporte sa propre guérison. Il connaît les plantes et les herbes avec lesquelles il doit se nourrir, ainsi que ce qu'il doit éviter, tandis que l'homme malade appelle le chaman, dont la sagesse n'est pas seulement le résultat de nombreuses années d'étude, mais aussi de son hérédité ; par conséquent, tout événement naturel d'importance, comme le Déluge, relève davantage de la sagesse des créatures des forêts et des rivières.

D'après la tradition iroquoise, jadis, la terre fut entièrement submergée par l'eau et, pendant plusieurs jours, un petit rat musqué a nagé, cherchant en vain une prise sur la terre pour construire sa maison. Au cours de sa recherche, il a rencontré une tortue qui nageait aussi tranquillement ; alors ils ont discuté ensemble, et le rat musqué s'est plaint de sa lassitude ; il ne pouvait trouver de prise ; il était fatigué de nager incessamment, et il désirait une terre semblable à celle que ses ancêtres avaient pu apprécier. La tortue a suggéré que le rat musqué plonge et qu'il essaie de trouver de la terre dans le fond de la mer. Suivant son conseil, le rat musqué a plongé, puis il est remonté avec ses deux petites pattes supérieures, qui agrippaient des morceaux de terre qu'il avait trouvée sous les eaux.

«Place-les sur ma carapace, et plonge encore afin d'en ramasser davantage», m'ordonna la tortue. Voilà ce que fit le rat musqué, mais lorsqu'il est revenu, les pattes remplies de terre, il a découvert que la petite quantité de terre qu'il avait déposée sur la carapace de la tortue avait doublé de volume. Au retour d'un troisième voyage, la charge que portait la tortue avait doublé une fois de plus. Alors la construction s'est déroulée à un rythme qui doublait à chaque fois; le monde a vu ses continents et ses îles croître avec une grande rapidité, et il repose maintenant sur la carapace d'une tortue.

Si vous demandez à un Iroquois, «N'y a-t-il aucun homme qui ait survécu à cette inondation?», il répondra, «Pourquoi les hommes devraient-ils survivre? Les animaux sont plus sages que les hommes; laissez vivre les plus sages».

Mais comment, dans ce contexte, la terre a-t-elle été repeuplée?

Les Iroquois vous diront que la loutre était un chaman; en nageant et en plongeant, elle a trouvé les corps d'hommes et de femmes; elle a chanté ses chansons thérapeutiques et ils sont revenus à la vie; puis, la loutre leur a apporté du poisson afin qu'ils se nourrissent, jusqu'à ce qu'ils soient suffisamment forts pour s'en procurer eux-mêmes. Alors les Iroquois concluront sa légende ainsi: «Vous savez bien que la loutre dispose d'une sagesse plus grande que celle de l'homme».

44

Voilà qui suffit à propos de «notre propre peuple» et de notre profond repect pour l'intelligence supérieure de nos petits frères qui appartiennent au monde animal.

Mais la tribu des Squamish avait d'autres idées valables. C'est lors d'un jour de février que j'ai d'abord écouté ce récit, magnifique et humain, du Déluge. Mon vieux compagnon royal était venu me rendre visite durant les pluies et la brume des jours tardifs d'hiver. Les portes d'entrée de mon wigwam étaient toujours ouvertes, très grandes ouvertes, afin que ses pieds puissent entrer et, en ce jour particulier, il est venu pendant la pire averse de la saison.

Comme une femme, j'ai protesté, la voix remplie de mille contradictions, déplorant qu'il ait dû s'aventurer dehors pour venir me rendre visite lors d'un jour pareil. Je disais, «Oh! Chef, je suis si heureuse de vous voir», puis «Oh! Chef, pourquoi n'êtes-vous pas resté à la maison par une journée si trempée; votre pauvre gorge en souffrira». Mais en peu de temps, j'avais préparé une abondante quantité de thé chaud pour lui, et l'énorme tasse que mon propre père utilisait jadis était maintenant la sienne – elle le serait aussi longtemps que le Sagalie Tyee permettrait à ses chers pieds de se promener avec moi. L'immense tasse repose maintenant, inutile et vide, pour la deuxième fois.

En l'aidant à enlever son manteau, j'ai bavardé à propos du déluge de la pluie, et il a remarqué que le temps n'était pas si mauvais, car l'on pouvait déjà marcher.

«Oui, heureusement, car je ne peux nager», lui dis-je.

Il a ri, puis répliqué, «Eh bien, ce n'est pas aussi pire que lorsque les Grandes eaux profondes ont recouvert le monde».

J'ai immédiatement anticipé la légende suivante, et je me suis réfugiée dans le silence des monosyllabes.

«Non?», l'ai-je interrogée.

«Non», a-t-il répondu. «Car jadis, il n'y avait aucune terre ici; partout, il n'y avait que de l'eau».

«Je peux tout à fait vous croire», ai-je affirmé d'un ton caustique.

Alors il a ri, de ce rire irrésistible, quoique silencieux, tel un David Warfield; un rire qui suscitait, à coup sûr, un sourire d'acquiescement de la part de ses auditeurs. Puis il a plongé directement dans la tradition et, sans préambule, il a fait un geste démonstratif de ses mains merveilleuses en direction de ma grande fenêtre, contre laquelle frappait la pluie.

«C'était après une longue, très longue période où tombait ça... cette pluie. Les ruisseaux et les montagnes étaient gonflés, les rivières engorgées et la mer a commencé à monter; il pleuvait déjà et, pendant des semaines et des semaines, il a plu». Il cessa de parler, tandis que l'ombre des siècles se glissa à travers ses yeux. Les légendes du passé brumeux l'inspiraient toujours.

«Oui», poursuivit-il. «Il a plu durant des semaines et des semaines, tandis que les torrents des montagnes ont rugi d'un tonnerre assourdissant qui descendait, et que la mer montait silencieusement.

Les terres plates furent les premières à flotter dans l'eau de mer, et à disparaître. Puis, les flancs ont glissé dans la mer. Le monde commençait lentement à être inondé. En toute hâte, les tribus indiennes se sont rassemblées en un seul et même lieu, un endroit sécuritaire hors de portée de la mer qui ne cessait d'avancer. L'endroit en question était le rivage entourant le lac Beautiful, en montant le Bras Nord. Ils ont tenu un grand conseil, après quoi ils ont choisi, de façon unanime, un plan d'action. L'on construirait un canot géant, et l'on étudierait les moyens de l'ancrer, au cas où les eaux atteindraient certaines hauteurs. Les hommes s'occuperaient du canot et les femmes, de l'ancrage.

« Un arbre géant a été coupé et jour et nuit les hommes ont travaillé afin d'en faire le canot le plus formidable que le monde n'avait jamais connu. Pas une heure, pas un moment ne passaient sans que certains travaillent, alors que ceux qui étaient fatigués d'accomplir ce labeur dormaient, pour reprendre immédiatement leur travail après leur réveil. Pendant ce temps, les femmes travaillaient aussi à fabriquer un câble – le plus large, long et fort que des mains et des dents indiennes n'avaient jamais fabriqué. Des douzaines d'entre elles se sont rassemblées, préparant les fibres de cèdre que des douzaines d'entre elles ont tressées, roulées et fait sécher ; des douzaines d'entre elles les ont mâchées, pouce par pouce, afin de les rendre malléables ; des douzaines d'entre elles ont huilé et travaillé, huilé et travaillé, huilé et travaillé le câble, afin de le transformer en un matériau résistant à la mer. Et le fleuve montait encore, plus haut, toujours plus haut. C'était le dernier jour ; l'espoir de vie pour les tribus, l'espoir de terre pour le monde, furent condamnés. Des mains fortes, des mains qui se donnaient en sacrifice, ont attaché le câble que les femmes avaient conçu, une extrémité au canot géant et l'autre, à un énorme rocher, une grosse pierre inamovible, aussi ferme que les fondations du monde, au cas où le canot ne pourrait, avec ses précieuses marchandises, dériver au loin, plus loin, jusqu'à la mer. Et quand l'eau s'apaiserait, ce bateau de sécurité ne se trouverait-il pas à des lieues et des lieues de la vue de la terre, dans le Pacifique secoué par les tempêtes ?

«Puis, avec les cœurs les plus braves qui ne battront jamais, des mains nobles ont levé chaque enfant des tribus pour les asseoir dans le vaste canot ; aucun d'entre eux n'a été négligé. Le canot était rempli de nourriture et d'eau fraîche et, en dernier lieu, les hommes et les femmes âgés de la race ont décidé que les gardiens de ces enfants seraient le jeune homme des tribus, le plus brave, vaillant et beau, et la mère du plus jeune bébé du camp. Celle-ci n'avait que seize ans et son enfant était âgé d'à peine deux semaines ; mais elle était, elle aussi, brave et très belle. Ces deux-là furent placés ; elle, à la proue du bateau pour observer et lui, à la poupe pour guider, et les petits enfants s'entassaient entre eux.

«Et la mer continua de monter, monter, monter. À la crête des falaises se rassemblaient les tribus condamnées. Pas une seule personne n'essaya de monter dans le canot. Il n'y eut ni gémissements ni pleurs pour leur propre sécurité. "Laissez vivre les petits enfants, la jeune mère et le plus brave et le meilleur de nos jeunes hommes!" : tel fut le seul adieu qu'entendirent ceux qui prenaient place dans le canot, au moment où les eaux atteignaient le sommet, après quoi le canot se mis à flotter. La dernière chose que l'on aperçut était le sommet du plus grand arbre, puis il n'y eut plus qu'un monde d'eaux.

«Pendant des jours et des jours, il n'y avait pas de terre en vue, seulement la ruée de la mer tourbillonnante et grondante. Mais le canot a flotté de manière sécuritaire grâce à l'ancre, ce câble que ces douzaines de femmes fidèles et dorénavant mortes avaient confectionné et qui tenait bon, tout autant que leurs cœurs vaillants qui s'étaient consacrés sans répit à l'ouvrage.

«Mais un matin, au lever du soleil, loin vers le sud, une tache flotta à la surface des eaux ; à midi, elle devint plus grosse ; le soir, elle était encore plus grosse. La lune s'est levée et dans sa lumière magique, l'homme à la poupe a vu qu'il s'agissait d'un morceau de terre. Pendant la nuit entière, il l'a regardé grossir et au petit matin, il a regardé de ses yeux joyeux vers le sommet du mont Baker. Il a coupé le câble, a serré sa pagaie dans ses mains jeunes et fortes et s'est orienté vers le sud. Lorsqu'ils ont débarqué, les eaux s'étaient retirées de moitié, en bas du flanc de la montagne. Les enfants ont été sortis ; la belle et jeune mère et le vaillant et brave jeune se sont tournés l'un vers l'autre, en se serrant les mains. Puis ils se sont regardés, les yeux dans les yeux, et ils ont souri.

«En bas, dans la vaste campagne située entre le

mont Baker et le fleuve Fraser, ils ont érigé un nouveau camp et construit de nouvelles résidences où les petits enfants ont grandi et se sont développés, où ils ont vécu et aimé. Ainsi, ils ont repeuplé la terre.

«Les Squamish disent que dans une fissure gigantesque, à mi-chemin vers la crête du mont Baker, on peut encore apercevoir les contours d'un énorme canot ; mais je ne l'ai jamais vu moi-même».

Il a cessé de parler avec cette cadence lointaine dans la voix avec laquelle il terminait habituellement une légende. Pendant un long moment, nous sommes restés assis en silence, et nous avons écouté le martèlement de la pluie qui frappait encore contre la fenêtre.

Le serpent de mer

IL EST UN VICE qui demeure inconnu à l'homme rouge : à sa naissance, il en était dépourvu et, parmi l'ensemble des choses déplorables qu'il a apprises de l'homme blanc, il ne l'a jamais acquis, fort heureusement. Il s'agit de l'avarice. Que l'Indien ait toujours perçu l'avidité du gain, de l'avarice et de la richesse accumulée au détriment de ses voisins défavorisés comme l'une des pires dégradations, voilà qui est davantage évocateur que ce que je pourrais citer afin de démontrer l'horreur que lui inspire ce qu'il nomme «la rudesse de l'homme blanc». Dans mon expérience diversifiée au sein de plusieurs tribus, je n'ai trouvé aucun exemple d'avarice et je n'ai rencontré qu'un seul cas d'«Indien pingre». Parmi ses compatriotes, cet homme était si particulier que la mention de son nom suffisait pour que les gens de sa tribu raillent et avancent avec mépris qu'il était semblable à un homme blanc, car il détestait partager son argent et ses biens. L'ensemble des races rouges sont nées socialistes, et la majorité des tribus appliquent à la lettre leurs idées communistes. Chez les Iroquois, il est considéré comme disgracieux de posséder de la nourriture si votre voisin en est dépourvu. Pour devenir un membre crédible de la nation, vous devez partager vos biens avec vos voisins moins fortunés. À peu de choses près, j'observe la même chose chez les Indiens de la côte, qui expriment cependant moins d'amertume que les tribus de l'est dans leur haine de la richesse et de la pauvreté extrêmes. Qu'ils aient préservé cette légende au sein de laquelle ils comparent l'avarice à un serpent de mer visqueux, cela révèle l'orientation de leurs idées; cela révèle aussi qu'un Indien demeure un Indien, quelle que soit la tribu à laquelle il appartient. Enfin, cela révèle qu'il ne peut, ou ne pourra, ramasser de l'argent; cela révèle que d'après sa morale autochtone, l'esprit de l'avidité doit être étouffé coûte que coûte.

Le chef et moi avons pris place longuement devant notre repas. Il avait parlé de son voyage en Angleterre et des choses étranges qu'il avait vues. Au final, dans un élan d'enthousiasme, il dit : « J'ai tout vu dans le monde. Tout, à l'exception d'un serpent de mer! ».

« Mais il n'existe rien de tel qu'un serpent de mer », dis-je en riant, « alors vous avez vraiment tout vu dans le monde ».

Son visage s'assombrit ; pendant un moment, il demeura silencieux. Puis, en me regardant droit dans les yeux, il dit : « Peut-être qu'il n'y en a plus de nos jours ; mais jadis, il y en avait un ici, dans la baie ».

« Il y a combien de temps ? », demandai-je.

« Lorsque les chasseurs d'or sont venus pour la première fois », répondit-il. « Ils sont venus avec des doigts crochus et avides, des yeux et des cœurs avides.

L'homme blanc a lutté; il a tué, il a souffert de la famine, il est devenu fou d'amour pour l'or qui provenait des hauteurs du fleuve Fraser. Les tillicums, les gens du peuple, n'étaient plus eux-mêmes, les frères étaient devenus des adversaires et les pères et les fils, des ennemis. Leur fol amour de l'or était une véritable malédiction».

«Est-ce à ce moment que l'on a aperçu le serpent de mer?» demandai-je, perplexe devant l'association entre les chercheurs d'or et un tel monstre.

«Oui, c'est à ce moment, mais…». Il hésita avant de poursuivre: «mais tu ne croiras pas cette histoire si tu penses qu'il n'existe pas de serpent de mer».

«Je croirai ce que vous me dites, Chef», répondis-je. «Moi aussi, je voudrais bien y croire. Tu sais que je proviens d'une race superstitieuse, et les liens que j'entretiens avec les visages pâles ne m'ont jamais dépouillé de mes droits de naissance à croire en d'étranges traditions».

Il marqua une pause et reprit: «Tu comprends toujours».

«C'est mon cœur qui comprend», fis-je remarquer calmement.

Il me jeta un rapide coup d'œil et, après m'avoir adressé l'un de ses rares et radieux sourires, il rit.

«Oui, mon skookum tum-tum, mon brave». Sans hésiter une seconde, il raconta ensuite la tradition que sa tribu maintenait avec un profond respect, bien qu'elle ne fût pas ancienne. Pendant qu'il livrait son récit, il était assis, les bras repliés sur la table, la tête et les épaules penchées avec enthousiasme vers moi, qui étais assise du côté opposé. C'était la première fois qu'il me parlait sans gesticuler afin d'illustrer son propos, et à aucune reprise il ne leva les mains. À eux seuls, ses yeux magnifiques exprimaient ce qu'il appelait «La légende du "Salt-chuck Oluk", du serpent de mer».

«Oui, c'était durant la première fureur pour l'or; à cette occasion, plusieurs de nos jeunes hommes avaient guidé les Blancs, loin en amont du fleuve Fraser. Au retour, ils avaient ramené ces légendes sur l'avarice et le meurtre; alors nos gens âgés et nos femmes avaient hoché la tête, affirmant ainsi qu'elles donneraient au Mal l'occasion d'apparaître. Mais à l'exception d'un seul, nos jeunes hommes étaient retournés comme ils étaient venus : gentils à l'égard des pauvres, gentils à l'égard des affamés, partageant leurs biens avec leurs tillicums. Mais l'un d'eux, nommé Shak-shak (le Faucon), revint avec des pépites d'or, du chickimin (de l'argent) et plus encore : il était riche comme les hommes blancs et, comme eux, il avait gardé son butin pour lui. Il comptait ses chickimin et ses pépites, il jubilait en les regardant, les faisait tourner dans ses paumes. Au moment de dormir, il posait sa tête sur ces pièces, et durant la journée, il les emportait avec lui. Il les aimait davantage que la nourriture, que ses tillicums, que sa propre vie. Alors la tribu entière se leva. Ses membres affirmèrent que Shak-shak souffrait de la maladie de l'avarice. Pour guérir, il devait organiser un grand potlatch, distribuer ses richesses parmi les plus pauvres, les partager avec les aînés, les malades et les affamés. Mais il se moqua et rit, puis il leur dit "Non" et il repartit, amoureux de son or, jubilant lorsqu'il le regardait.

«Alors le Sagalie Tyee parla avec franchise dans le ciel : "Shak-shak, tu as fait de toi-même une chose répugnante ; tu n'écouteras pas les pleurs des affamés, ni l'appel des aînés et des malades ; tu ne partageras pas tes biens. Tu as fait de toi-même un paria au sein de ta tribu et tu as désobéi aux lois anciennes de ton peuple. Maintenant, je vais faire de toi une chose détestée et haïe de tous les hommes, à la fois rouges et blancs. Tu auras deux têtes, car ton avidité a deux gueules à mordre. L'une mord les pauvres et l'autre mord ton propre cœur maléfique ; et les canines de cette bouche sont un poison – un poison qui tue les affamés, un poison qui tuera ta propre virilité. Ton cœur maléfique palpitera au centre de ton corps répugnant, et celui qui le percera tuera en même temps, pour l'éternité, la maladie de l'avidité qui règne parmi son peuple". Le matin suivant, au moment où le soleil se leva au-dessus du Bras Nord, les gens de la tribu aperçurent à la surface des eaux un serpent de mer géant. Une tête hideuse reposait sur les falaises de Brockton Point ; l'autre reposait sur un amas de pierres situé au sud de la Mission, à la frontière de Vancouver Nord. Si vous souhaitez vous y rendre un jour, je vous montrerai le creux dans une grosse pierre où reposait la tête. Les gens de la tribu étaient figés d'horreur. Ils détestaient la créature, ils la haïssaient, ils la craignaient. Jour après jour, elle reposait à cet endroit, sa tête monstrueuse émergeant des eaux, son corps long d'un demi-kilomètre encombrant toutes les entrées des Narrows, et toutes les sorties du Bras Nord. Les chefs tinrent un conseil, les chamans dansèrent et chantèrent, mais le grand salt-chuck oluk, lui, ne bougeait pas. Il ne pouvait bouger, car il était le totem détesté de ce qui gouverne dorénavant le monde de l'homme blanc : l'avidité et l'amour du chickimin. Personne ne pourra jamais changer l'amour que les Blancs portent au chickimin ; personne ne pourra jamais les forcer à partager leurs biens avec les pauvres. Or, comme le serpent de mer reposait sur les eaux après que les chefs et les chamans eurent fait ce qui était en leur pouvoir, un beau garçon de seize ans les approcha, en leur rappelant les mots du Sagalie Tyee, à savoir "que celui qui percerait le cœur du monstre tuerait la maladie de l'avidité pour toujours parmi son peuple".

"Laissez-moi trouver ce cœur maléfique, oh! Grands hommes de ma tribu", supplia-t-il. "Laissez-moi faire la guerre à cette créature ; laissez-moi débarrasser mon peuple de cette pestilence".

«Le garçon était brave et très beau. Les gens de sa tribu l'appelaient le Tenas Tyee, le petit Chef, et ils l'aimaient. Il donna l'ensemble de ses richesses, composées de poissons et de fourrures, de jeux et de hykwa (monnaie de grands coquillages), aux garçons qui en étaient dépourvus. Il chassa du gibier pour nourrir les personnes âgées ; il tanna les peaux et les fourrures pour habiller ceux dont les pieds étaient faibles, ceux dont les yeux s'affaiblissaient et dont le sang s'éclaircissait avec l'âge.

«"Laissez-le partir!", supplièrent les gens de la tribu. "Seules des mœurs pures vaincront le monstre impur ; seule la générosité renversera cette créature d'avarice. Laissez-le partir!". Les chefs et les chamans les écoutèrent, puis ils consentirent à leur demande. "Pars!", ordonnèrent-ils au garçon, "et combats ce monstre avec tes meilleures armes : la dévotion et la générosité!"

«Le Tenas Tyee se tourna alors vers sa mère. "Je serai parti durant quatre jours", lui dit-il, "et pendant ce temps, je nagerai. Toute ma vie durant, j'ai tenté d'être généreux, mais les gens disent que je dois aussi être propre pour combattre ce monstre impur. Pendant mon absence, disposez de nouvelles fourrures sur mon lit chaque jour, même si je ne suis pas ici pour m'y étendre ; si je sais que mon lit, mon corps et mon cœur sont propres, je pourrai vaincre ce serpent".

· «"Ton lit sera recouvert de fourrures fraîches chaque matin", répondit sa mère avec modestie.

«Le Tenas Tyee se déshabilla ensuite et, une fois dépourvu de vêtements, il garda une ceinture en peau de daim dans laquelle il enfonça son couteau de chasse ; puis il lança son corps jeune et leste dans la mer. Mais à la fin de la première journée, il ne revint pas. De temps à autre, ses gens l'apercevaient nager au milieu du canal, où il tentait de trouver le centre du serpent, l'endroit précis où se cachait son cœur malicieux et égoïste ; mais au cinquième matin, ils le virent émerger de la mer, escalader le sommet de Brockton Point et accueillir le soleil levant de ses bras étendus. Des semaines et des mois s'écoulèrent, au cours desquels le Tenas Tyee nageait chaque jour, à la recherche de ce cœur d'avarice. Chaque matin, le soleil levant miroitait sur son corps jeune, mince et cuivré au moment où il se tenait à l'extrémité de Brockton Point, accueillant le jour naissant les bras étendus, et plongeant du sommet jusque dans la mer.

«Et dans sa résidence située sur le rivage nord, sa mère habillait son lit de nouvelles fourrures chaque matin. Les saisons défilèrent ; l'hiver succéda à l'été, l'été succéda à l'hiver. Quatre ans se sont écoulés avant que le Tenas Tyee ne trouve le centre du grand salt-chuck oluk et qu'il ne plonge son couteau de chasse dans le cœur maléfique de celui-ci. Dans son agonie de mort, le serpent se déforma au milieu des Narrows, laissant une trace noire sur les eaux. Son énorme corps commença à rétrécir et à se dessécher ; il se replia sur lui-même, jusqu'à ce que ne subsistent plus que les os de son dos, blanchis par la mer et inanimés, qui descendirent rapidement au fond de l'océan, loin du bord de la rive. Mais au moment où le Tenas Tyee nagea vers sa demeure et où son corps propre croisa la tache noire que le serpent avait laissée, les eaux devinrent claires, bleues et scintillantes. Il avait même surmonté la trace du salt-chuck oluk.

«Lorsqu'il se tint enfin sur le seuil de sa résidence, il dit : "Ma mère, je n'aurais pu tuer le monstre de l'avarice si tu ne m'avais aidé en me gardant une place fraîche et propre à la résidence en vue de mon retour".

«Elle le regarda comme seule une mère peut regarder. "Chaque jour, durant ces quatre années, j'ai déposé des fourrures fraîches sur ton lit. Dors maintenant, et repose-toi, oh ! mon Tenas Tyee", dit-elle».

Le chef décroisa ses bras. Sa voix changea de ton lorsqu'il demanda : «Comment appelles-tu cette histoire ? Une légende ?»

«Les visages pâles la nommeraient une allégorie», répondis-je. Il secoua la tête.

«Ils n'ont pas de jugeote», dit-il en souriant.

Je lui expliquai la difficulté de la façon la plus simple et, avec sa vivacité habituelle, il comprit sur-le-champ. «C'est vrai», dit-il. «C'est ce que nous voulons dire, nous, les Squamish, lorsque nous affirmons que l'avarice est malicieuse et impure comme le salt-chuck oluk; qu'elle doit être combattue au sein de notre peuple, tuée par la propreté et la générosité. Le garçon qui vainquit le serpent incarnait ces deux choses à la fois».

«Qu'est devenu ce garçon splendide?», demandai-je.

«Le Tenas Tyee? Oh! Certains de nos gens âgés, très âgés, affirment qu'ils le voient parfois au sommet de Brockton Point, où il accueille le soleil levant de ses bras jeunes et nus», répliqua-t-il.

«L'avez-vous déjà vu, Chef?», le questionnai-je.

«Non», répondit-il simplement. Jamais je n'entendis un regret si poignant que lorsque sa voix magnifique prononça ce mot.

L'île perdue

« OUI », DIT MON VIEUX tillicum, «nous, les Indiens, avons perdu beaucoup de choses. Nous avons perdu nos terres, nos forêts, notre gibier, notre poisson; nous avons perdu notre ancienne religion et nos vêtements d'autrefois; certains de nos jeunes ont même oublié la langue de leurs pères ainsi que les légendes et les traditions de leurs ancêtres. Nous ne pouvons nous réapproprier les choses anciennes; nous ne les retrouverons jamais. Nous pouvons voyager pendant plusieurs jours, escalader les chemins de la montagne et les chercher dans les endroits silencieux. Elles ne s'y trouvent pas. Nous pouvons pagayer sur la mer durant plusieurs lunes, mais nos canots ne se faufileront jamais dans le canal qui mène au passé du peuple indien. Ces choses sont perdues, tout comme l'est l' "île du Bras Nord". Elles peuvent se cacher à proximité, mais personne ne les trouvera jamais».

«Mais il y a plusieurs îles en amont du Bras Nord», affirmai-je.

«Mais pas l'île que nous, le peuple indien, avons

cherchée pendant des dizaines d'étés», répondit-il avec tristesse.

«S'est-elle jamais trouvée en ce lieu?», l'interrogeai-je.

«Oui, elle s'y trouvait», dit-il. «Mes grands-pères et mes arrière-grands-pères l'ont vue, mais il y a longtemps de cela. Mon père ne l'a jamais vue, bien qu'il l'eût cherchée pendant des années. Je suis moi-même un vieil homme et je ne l'ai jamais vue, quoique je l'aie cherchée, moi aussi, dès ma jeunesse. Parfois, dans le calme de la nuit, je pagayais dans mon canot vers le nord». Puis, en baissant la voix, il dit: «À deux reprises, j'ai aperçu son ombre: de hauts rivages rocheux, aussi élevés que le sommet des arbres sur la terre ferme; puis des pins et des sapins majestueux à son sommet, comme la couronne d'un roi. Lorsque je pagayais en remontant le bras durant une nuit d'été, il y a de cela fort longtemps, l'ombre de ces rochers et de ces sapins est tombée sur mon canot, sur mon visage et sur les eaux environnantes. Je me suis retourné rapidement pour regarder. Il n'y avait pas d'île à cet endroit, mais seulement une vaste étendue d'eau, de chaque côté de moi, et la lune se trouvait presque directement au-dessus de ma tête. Ne dis pas que c'est le rivage qui projetait son ombre sur moi», se dépêcha-t-il d'ajouter, anticipant ma pensée. «La lune brillait au-dessus de moi; mon canot projetait rarement une ombre sur les eaux calmes. Non, ce n'était pas le rivage».

«Pourquoi la cherchez-vous?», me plaignai-je, songeant aux vieux rêves que je chérissais jadis et qui ne s'étaient jamais réalisés.

«Il y a quelque chose que je souhaite obtenir sur cette île. Je devrai la chercher jusqu'à ma mort, car cette chose s'y trouve», affirma-t-il.

Il y eut ensuite un long silence entre nous. J'avais appris à apprécier les silences avec mes vieux tillicums, car ils annoncent toujours une légende. Après un moment, il amorça son récit:

«C'était il y a plus de cent ans. À cette période, la grande ville de Vancouver n'était que le rêve du Sagalie Tyee. L'homme blanc ne s'était pas encore approprié ce rêve; seul un grand chaman indien savait qu'un jour, il y aurait un vaste campement de visages pâles entre False Creek et la baie. Ce rêve le hantait; il lui revenait à l'esprit nuit et jour, lorsqu'il riait et festoyait parmi les siens ou lorsqu'il chantait ses étranges chansons, battait de son tambour creux, ou secouait sa crécelle de sorcier en bois, seul dans la forêt, afin d'accroître son pouvoir à guérir les malades et les mourants de sa tribu. Pendant des années, ce rêve le poursuivit. Même lorsqu'il vieillit jusqu'à devenir un homme âgé, très âgé, il pouvait encore entendre les voix puissantes et criardes, comme lorsqu'il les avait entendues pour la première fois durant sa jeunesse. Elles disaient: "Entre les deux étroites bandes d'eau salée camperont les hommes blancs; ils seront plusieurs centaines, plusieurs milliers. Les Indiens apprendront leurs manières, ils vivront et deviendront comme eux. Il n'y aura plus de combats avec d'autres tribus puissantes; tout se passera comme si les Indiens avaient perdu leur bravoure, leur courage, leur confiance". Il détestait les voix, il détestait le rêve; or ni son pouvoir ni ses

prouesses magiques ne parvenaient à les chasser. Il était l'homme le plus puissant de la côte nord du Pacifique : de stature imposante et très grande, ses muscles s'apparentaient à ceux de Laloo, le loup du Canada, lorsqu'il est sur le point d'attraper sa proie. Il pouvait être privé de nourriture pendant plusieurs jours ; combattre les plus grands lions des montagnes ; maîtriser les ours grizzly les plus féroces ; pagayer contre les vents les plus sauvages et surmonter les vagues les plus hautes. Il pouvait rencontrer ses ennemis et liquider des tribus entières de ses mains nues. Sa force, son courage, sa bravoure étaient ceux d'un géant. Il ne connaissait pas la peur : il n'y avait rien dans la mer ni dans la forêt, rien sur la terre ni au ciel qu'il ne pouvait conquérir. Il était intrépide, si intrépide. Seul ce rêve obsédant qui annonçait l'arrivée d'un camp d'hommes blancs le pourchassait inlassablement ; c'était la seule chose de sa vie qu'il avait échoué à tuer. Ce rêve l'empêchait de festoyer ; il l'éloignait des résidences plaisantes, des feux, de la danse, des conversations des siens dans leur campement installé au bord de l'eau, où le saumon convergeait et où le cerf descendait pour s'abreuver aux ruisseaux des montagnes. Il quitta le village indien en entonnant ses chansons sauvages. Il se rendit au sommet des montagnes imposantes, escaladant les mousses profondes et dépourvues de piste et les vignes enchevêtrées, jusqu'au sommet de ce que les hommes blancs nomment la montagne Grouse. Pendant plusieurs jours, il campa à cet endroit. Il ne mangea aucune nourriture, ne but aucune eau ; mais il s'assit et entonna ses chants de médecine durant les heures sombres et durant le jour. Devant lui, loin de ses pieds, se trouvait l'étroite bande de terre qui gît entre les deux cours d'eau salée. Alors le Sagalie Tyee lui conféra le pouvoir de voir loin dans le futur. Au moment précis où il regardait vers ce que vous nommez la baie, il vit à cent ans de distance. Il aperçut d'imposantes résidences construites à proximité les unes des autres, des centaines et des milliers d'entre elles : c'étaient des résidences de pierre et de bois, que de longs chemins droits séparaient les unes des autres. Il vit ces chemins envahis d'hommes blancs ; il entendit le son de la pagaie de l'homme blanc qui s'agitait dans les eaux, car ce n'était pas un geste silencieux comme celui des Indiens. Il vit les postes de traite des fourrures de l'homme blanc, il vit ses filets de pêche ; il entendit ses paroles. Puis, la vision s'estompa progressivement, comme elle était apparue. La petite bande de terre redevint sa propre forêt.

«"Je suis vieux !", cria-t-il, épris de tristesse et d'inquiétude à l'endroit de son propre peuple. "Je suis vieux, oh ! Sagalie Tyee ! Je vais bientôt mourir et accéder aux Terres de la chasse abondante de mes pères. Faites que ma force ne s'éteigne pas avec moi. Gardez éternellement vivants mon intrépidité, ma bravoure, mon courage. Gardez-les pour mon peuple, afin qu'il soit suffisamment fort pour supporter les règles de l'homme blanc. Gardez ma force vivante pour eux ; cachez-la afin que les visages pâles ne la trouvent ni ne la voient jamais".

«Puis il descendit du sommet de la montagne Grouse. Il continua à entonner ses chansons de médecine, puis il monta dans son canot et pagaya à travers les couleurs du soleil couchant, en amont du Bras Nord. Lorsque la nuit tomba, il atteignit une île aux rivages brumeux, pourvue de grands rochers gris ; des pins et des sapins élevés encerclaient son sommet, semblable à la couronne d'un roi. Au moment où il en approchait, il sentit sa force, son courage et sa bravoure le quitter ; il pouvait voir ces choses voler à la dérive vers l'île, loin de lui. Elles étaient semblables à des nuages qui se reposent sur les montagnes, gris blanc et à demi transparents. Faible comme une femme, il retourna au village indien en pagayant ; il leur dit de partir à la quête de "L'île" où ils trouveraient son courage, sa bravoure et sa force vivants, vivants pour l'éternité. Alors il s'endormit ; mais le lendemain matin, il ne se réveilla point. Depuis ce temps, nos hommes, jeunes et vieux, ont cherché "L'île". Elle se trouve quelque part, surplombant quelque canal perdu, mais nous ne pouvons la trouver. Lorsque nous y parviendrons, nous retrouverons le courage et la bravoure que nous possédions avant l'arrivée de l'homme blanc, car le grand chaman a affirmé que ces choses ne meurent jamais – elles se perpétuent pour nos enfants et nos petits-enfants».

Sa voix s'éteignit. Je l'accompagnais de tout cœur dans sa nostalgie de l'île perdue. En songeant au courage formidable qu'il possédait, je répondis alors : «Mais vous dites que l'ombre de cette île est tombée sur vous ; n'est-ce pas, mon tillicum ?».

«Oui» répondit-il, d'un ton à demi plaintif. «Mais seulement son ombre».

Point Grey

«A VEZ-VOUS DÉJÀ fait de la voile passé Point Grey?», me demanda l'un de mes jeunes tillicum squamish qui me rend visite fréquemment, afin de partager une tasse de thé et de goûter un muck-a-muck, un repas qu'autrement je mangerais en solitaire.

«Non», admettai-je, je n'ai pas eu ce plaisir, car je ne connaissais pas les eaux incertaines de la baie des Anglais suffisamment pour que je m'y aventure jusqu'à ses promontoires dans mon canot fragile.

«Un jour, peut-être l'été prochain, je vous y emmènerai dans un bateau à voiles, et je vous montrerai le gros rocher au sud-ouest de la pointe. C'est un rocher étrange: nous, le peuple indien, nous l'appelons Homolsom».

«Quel nom bizarre!», affirmai-je. «Est-ce un terme squamish? À l'entendre, il me semble que ce n'est pas le cas».

«Ce n'est pas un terme entièrement squamish; il est puisé à demi dans le langage du fleuve Fraser. Comme la pointe marquait la ligne de division entre les terres et les eaux des deux tribus, celles-ci se sont

71

mises d'accord pour ériger le terme "Homolsom" à partir des deux langues».

Je lui offris encore du thé et, en le sirotant, il me raconta une légende méconnue parmi les jeunes Indiens. Qu'il croie ou non à cette histoire, là n'est pas la question, car il a avoué, à plusieurs reprises, avoir mis à l'essai les vertus de ce rocher, et celui-ci ne l'a jamais déçu. Ceux qui naviguent sont superstitieux à l'égard de certaines choses, et je reconnais en toute liberté qu'à de nombreuses reprises, j'ai moi-même déniché un vent lorsqu'un calme plat menaçait, ou encore, j'ai planté un poignard dans un mât, pour ensuite observer avec une grande satisfaction la voile se gonfler et le canot avancer dans une brise légère. Alors, peut-être ai-je un penchant en faveur de cette légende d'Homolsom Rock, car elle frappe une corde très sensible de mon cœur qui a toujours vibré grâce à la mer.

«Vous savez», commença mon jeune tillicum, «que seules les eaux préservées intactes des mains d'hommes procurent certains bienfaits. L'on ne retire aucune force en nageant dans les eaux chauffées ou bouillies par les feux que les hommes allument. Pour grandir avec force et sagesse, l'on doit nager dans les rivières naturelles, les torrents des montagnes, la mer, à la manière dont le Sagalie Tyee les a conçues. Leurs vertus meurent lorsque les êtres humains tentent de les améliorer en les réchauffant ou en les distillant, ou même en y jetant du thé. Et alors, ce qui rend Homolsom Rock si plein de "bons remèdes", c'est que les eaux rejetées proviennent directement de la mer ; elles sont conçues des mains du Grand

Tyee et préservées intactes par la main d'un homme. «Il n'a pas toujours été là, ce gros rocher qui puise dans les mers sa force et son pouvoir merveilleux; jadis, il fut lui aussi un Grand Tyee qui dirigeait une imposante étendue d'eau. C'était le dieu des eaux qui lavent la côte, du golfe de Géorgie, du Puget Sound, des détroits de Juan de Fuca, des eaux qui frappent même la côte ouest de l'île de Vancouver et des nombreux canaux qui traversent les îles Charlotte. C'était le Tyee du Vent d'Ouest, et ses orages et ses tempêtes étaient si puissants que le Sagalie Tyee lui-même ne pouvait contrôler le désordre qu'il avait créé. Il fut en guerre contre les embarcations de pêche, il démolit des canots, et envoya des hommes vers leur mort. Il déracina des forêts et dirigea les vagues sur le rivage chargé de décombres d'arbres arrachés et de poisson mort. Il fit tout cela afin de révéler ses pouvoirs, car il était cruel et possédait un cœur dur; il riait et défiait le Sagalie Tyee et, regardant vers le ciel, il appelait, "Vois à quel point je suis puissant, imposant et fort: je suis aussi grand que toi".

«C'est à cette époque que le Sagalie Tyee est venu, sous l'incarnation des Quatre Hommes, dans le grand canot qui remontait les rives du Pacifique, il y a de cela des milliers d'années, lorsqu'ils transformèrent le mauvais en pierre et le bon en arbres.

«"Maintenant", dit le dieu du Vent d'Ouest, "je peux montrer ma puissance. Je dois provoquer une tempête afin que ces hommes n'accostent pas sur ma côte. Ils ne doivent pas naviguer en sécurité sur mes mers, mes détroits et mes canaux. Je dois les détruire et envoyer leurs corps dans les grandes profondeurs,

73

et je dois prendre la place du Sagalie Tyee afin de diriger l'ensemble du monde''. Ainsi le dieu du Vent d'Ouest provoqua ses tempêtes. Les vagues montèrent à la hauteur des montagnes, les mers fouettèrent et tonnèrent le long des rivages. L'on entendait le rugissement de son souffle puissant arracher d'énormes branches aux arbres de la forêt, siffler dans les canyons et semer la mort et la destruction pour des lieues et des lieues le long de la côte. Mais le canot à bord duquel prenaient place les quatre hommes se dirigea très droit à travers les crêtes et les creux de l'océan déchaîné. Aucune crête courbée, aucune profondeur sombre ne pouvaient détruire cette embarcation magique, car les cœurs qu'il portait étaient remplis de gentillesse à l'égard de la race humaine, et la gentillesse ne peut mourir.

«Tout n'était que rochers et forêt dense, un territoire dépeuplé; seuls les animaux sauvages et les oiseaux de mer cherchaient à s'y abriter contre les terreurs du vent d'ouest. Mais il les délogea avec une colère renfrognée, et il fit de cette bande de terre son dernier combat contre les Quatre Hommes. Les visages pâles nomment cet endroit Point Grey, mais les Indiens l'appelaient déjà "Le champ de bataille du Vent d'Ouest". Il utilisa toutes ces forces puissantes pour résister au canot qui approchait; il poussa d'énormes ouragans contre les crêtes des pierres; il fit déferler et tourbillonner la mer dans une fureur tempétueuse le long de ses rapidités étroites; mais le canot s'approcha de plus en plus, invincible comme ces rivages, et plus fort que la mort elle-même. Lorsque la proue toucha la terre, les Quatre Hommes se levèrent et commandèrent au Vent d'Ouest de cesser ses cris de guerre et, bien qu'il ne fût pas dépourvu de puissance, sa voix trembla et sanglota en un souffle doux, puis elle s'effondra en un murmure, avant de s'affaiblir en un silence exquis.

«"Oh! toi, homme maléfique au cœur hostile", crièrent les Quatre Hommes, "tu as été un dieu trop puissant pour que même le Sagalie Tyee t'anéantisse; mais dorénavant, tu devras vivre pour servir le genre humain, et non pour lui nuire. Tu dois te transformer en pierre, là où tu te tiens, et tu dois te lever lorsque les hommes souhaitent que tu le fasses. À partir de ce jour, ta vie sera dévouée au bien de l'homme, car lorsque les voiles du pêcheur seront inutiles et que sa résidence se trouvera à des lieues, tu devras gonfler ces voiles et libérer son embarcation dans la direction de son choix. Tu dois demeurer là où tu es pour des milliers d'années à venir, et celui qui te touchera avec la pointe de sa pagaie devra bénéficier d'un vent favorable pour prendre le chemin du retour"».

Mon jeune tillicum avait terminé son récit. Il me regarda de ses grands yeux graves, à demi rêveurs.

«J'aimerais que vous puissiez voir Homolsom Rock», dit-il. «Car il fut jadis le Tyee du Vent d'Ouest».

«N'avez-vous jamais navigué paisiblement autour de Point Grey?», demandai-je un peu brusquement.

«Souvent», répondit-il. «Mais je pagaye vers le nord jusqu'au rocher que je touche de la pointe de ma pagaie et, quel que soit le chemin que j'emprunte, le vent souffle librement pour moi, si j'attends un peu».

«J'imagine que les gens de votre peuple agissent ainsi?», ai-je répliqué.

«Oui, chacun d'eux», répondit-il. «Ils agissent ainsi depuis des centaines d'années. Vous voyez que le rocher recèle un pouvoir aussi grand de nos jours qu'au début, car chaque jour, il tire sa force de la mer préservée intacte que le Sagalie Tyee a créée».

Le chemin Tulameen

AVEZ-VOUS DÉJÀ passé les vacances dans les terres vallonneuses du Dry Belt? Avez-vous déjà passé des journées entières dans un véhicule qui se balance et oscille, derrière un attelage à quatre, lorsque «Curly» ou «Nicola Ned» tenait les rênes et poussait ses habiles petits chevaux de tête et sa voiture en bas de ces sentiers de montagne horrifiants, qui font des coudes comme les écheveaux brun roux d'une toile d'araignée à travers les hauteurs et les profondeurs des pays de l'Okanagan, du Nicola et du Similkameen? Si tel est le cas, vous avez entendu l'appel du Skookum Chuck, que les locuteurs Chinook attribuent, avec une gaieté exubérante, aux ruisseaux déferlants qui font leur chemin à travers les canyons avec une musique si suave, si insistante que pendant plusieurs lunes, son écho persiste dans vos oreilles à l'écoute; et vous entendrez, au cours des années à venir, les voix de ces rivières des montagnes réclamer votre retour.

Mais de l'ensemble des mélodies, la plus obsédante demeure le rire gazouillant de la Tulameen; ses notes délicates sont beaucoup plus puissantes et elles résonnent beaucoup plus loin que les tonnerres rauques de la Niagara. C'est pourquoi les Indiens du pays Nicola se rattachent à leur histoire de longue date, d'après laquelle la Tulameen transporte l'esprit d'une jeune fille empêtrée dans les merveilles de son cours sinueux. Il s'agit d'un esprit qui jamais ne peut se libérer des canyons pour s'élever au-dessus des hauteurs et suivre ses compagnons dans les Terres de la chasse abondante, mais qui est condamné à s'enrouler autour de son rire, de ses sanglots, de ses murmures solitaires, de son appel à la compagnie encore plus solitaire, avec la musique sauvage des eaux qui chantent pour l'éternité derrière les étoiles de l'Ouest.

Au moment où vos chevaux remontent le chemin quasi perpendiculaire menant de l'extérieur de la vallée de la Nicola jusqu'à son sommet, un paradis de beauté se déploie à vos pieds ; la couleur est indescriptible, l'atmosphère vous enchante. La jeunesse et l'élan du sang déchaîné sont vôtres à nouveau, jusqu'à ce qu'en atteignant les hauteurs, vous vous retrouviez étrangement calme grâce au silence implacable de cette scène – un silence sacré, au point où l'on croirait que le monde autour de vous balance son encensoir devant un autel, dans une cathédrale éloignée et sombre ! Les voix du chœur de la Tulameen sont déjà loin de l'autre côté du sommet, mais les hauteurs de la rivière Nicola sont les prières silencieuses qui retiennent l'âme humaine avant que les premiers grands accords ne descendent de l'orgue haut perché. Dans cette première longue montée d'un chemin de plusieurs kilomètres de route, même le staccato de la longue cravache du chauffeur, semblable à un serpent noir, demeure silencieux. Il laisse ses animaux trouver leur propre chemin d'un pas assuré, mais une fois arrivé de l'autre côté du sommet, il rassemble les rênes dans ses doigts d'acier. Il donne un coup de sifflet léger et rapide, le coup de fouet roule jusqu'aux oreilles des chevaux de tête, et ainsi s'amorce le plongeon dans l'inclinaison de la montagne. Sur le chemin parcouru, chaque pas est fait au galop. Le véhicule se balance et chancelle au moment où il se précipite à travers un chemin grossièrement taillé au cœur de la forêt. Parfois, les angles sont si abrupts que vous ne pouvez voir les chevaux de tête lorsqu'ils oscillent autour du rocher escarpé qui égratigne presque les roues du côté gauche, tandis qu'à un pied au bord du chemin, les roues du côté droit tourbillonnent au bord du canyon béant. Le rythme du roulement des sabots, le sifflement bas et répétitif et le craquement du coup de fouet ; le bruit occasionnel des galets qui pleuvent dans les profondeurs, relâchés par les roues en pleine course, a brisé le silence sacré. Mais au-dessus de ces sons rapprochés, il y a un murmure indistinct qui croît en s'adoucissant, qui se fait de plus en plus musical au moment où vous progressez vers la partie inférieure des montagnes, où il s'élève au-dessus des notes les plus discordantes. C'est la voix de la Tulameen agitée, lorsqu'elle danse et rit à travers la gorge rocailleuse du canyon, à quelque trois cents pieds plus bas. Puis, en suivant la chanson, l'on aperçoit la rivière elle-même, vêtue de blanc dans le voile de ses rapides infinis, de ses torrents de cascades. Elle est aussi belle à regarder qu'à écouter et c'est ici, où le chemin se déroule pendant des lieux et des lieux, que les Indiens disent qu'elle a capté l'esprit de la jeune fille, encore entrelacé dans sa beauté.

C'était lors d'une de ces batailles terribles qui fit rage entre les tribus de la vallée avant que l'on aperçoive les empreintes du pas de l'homme blanc le long de ces chemins. De nos jours, personne ne peut identifier la cause de ce conflit, mais d'après une hypothèse générale, elles étaient simplement motivées par la suprématie tribale – l'instinct primitif assaillant le sauvage qui se cache tant chez l'homme que chez la bête, et qui mène les hommes des collines à des carnages et les meneurs des troupeaux de bisons à s'affronter. C'est une avidité que de diriger ; il s'agit du seul instinct barbare que la civilisation n'a encore jamais éradiqué au sein des nations armées. Cette guerre entre les tribus habitant les terres de la vallée a duré plusieurs années ; les hommes ont combattu, les femmes ont porté le deuil et les enfants ont pleuré, comme ils l'avaient fait depuis le début de cette période. Cela ressemblait à une bataille inégale, car le chef de guerre expérimenté et ses deux fils astucieux étaient confrontés à un seul brave jeune Tulameen. Les deux camps avaient leurs partisans loyaux ; les deux étaient invincibles quant au courage et à la bravoure, les deux étaient déterminés et ambitieux, les deux étaient d'adroits combattants.

Mais l'homme le plus âgé disposait de l'expérience et de deux autres esprits défiants et stratégiques pour l'aider, tandis que le plus jeune avait l'avantage de la jeunesse splendide et de la persévérance impossible à conquérir. Mais à chaque bataille rangée, à chaque échauffourée, à chaque conflit à mains nues, le plus jeune homme gagnait petit à petit, et l'homme le plus âgé reculait d'un pas après l'autre. De manière graduelle mais inévitable, l'expérience de l'âge cédait la priorité à la force et à l'enthousiasme de la jeunesse. Puis, un jour, ils se rencontrèrent face à face et seuls : le vieux chef, estropié de guerre, et le jeune brave, inspiré par la bataille. C'était un combat inégal et, à la fin d'une lutte brève, mais violente, le plus jeune amena son rival à ses pieds. Se tenant au-dessus de lui avec un couteau dirigé vers le haut, le brave Tulameen se moqua avec mépris, et il dit :

«Voudriez-vous, mon ennemi, que cette victoire soit la vôtre ? Si tel est le cas, je vous la donne ; mais en échange de ma soumission, je vous demande votre fille».

Pendant un instant, le vieux chef regarda son conquérant avec étonnement ; il voyait encore sa fille telle une enfant qui jouait dans les chemins de la forêt ou qui s'asseyait aux côtés de sa mère dans la résidence, obéissante, cousant ses petits mocassins ou tissant de petits paniers.

«Ma fille !», répondit-il d'un air sévère. «Ma fille, à peine sortie de son berceau, te la donner à toi, dont les mains sont tachées de sang pour avoir tué tant d'hommes de ma tribu ? C'est cela que tu demandes ?»

«Je ne le demande pas», répondit le jeune brave. «Je l'exige ; j'ai vu la fille et elle doit être mienne».

Le vieux chef se leva d'un bond et hurla son refus.

«Garde ta victoire et je garde ma petite fille», sachant qu'il défiait non seulement son ennemi, mais la mort elle-même.

Le Tulameen émit un rire léger et simple. «Je ne devrais pas tuer le père de mon épouse», railla-t-il. «Même si nous devons avoir une bataille supplémentaire, mais votre fille viendra à moi».

Il adopta une attitude victorieuse jusqu'en haut du chemin, tandis que le chef âgé marchait d'un pas lent et las vers le canyon.

Le lendemain, la fille du chef flânait dans les hauteurs en écoutant la rivière chantante et, de temps à autre, en se penchant au-dessus du précipice pour en regarder les tourbillons ondulants et les chutes d'eau dansantes. Soudain, elle entendit un léger bruissement, comme si un oiseau de passage avait effleuré l'air de son aile. Puis, une flèche légère et délicatement taillée tomba à ses pieds. La flèche tomba avec force et, grâce à sa connaissance du bois travaillé, la fille comprit que celle-ci avait été tirée jusqu'à elle, et non sur elle. Elle sursauta comme un animal sauvage. Puis, son œil rapide capta les contours d'une figure belle et dressée qui se tenait sur les hauteurs, de l'autre côté de la rivière. Elle ne savait pas qu'il s'agissait de l'ennemi de son père; elle vit seulement en lui un homme robuste possédant une beauté mâle. En elle se réveillèrent alors l'esprit de la jeunesse et une certaine coquetterie sauvage. Rapidement, elle enfila l'une de ses flèches délicates à la corde de son arc et l'envoya voler dans le canyon étroit; celle-ci tomba, sans force, aux pieds du jeune homme. Il sut qu'elle l'avait tirée vers lui, et non sur lui.

Le lendemain matin, comme une femme, elle avança lentement sur le bord des hauteurs. Allait-elle le voir de nouveau, ce bel homme courageux? Allait-il lancer une nouvelle flèche ? Elle n'avait pas encore émergé du fouillis de la forêt avant que celle-ci ne tombe, sa trajectoire aux ailes légères annonçant son arrivée. Près de la pointe à plumes était attaché un pompon de belles queues d'hermine. Elle détacha de son poignet un bracelet de perles de coquillages, l'attacha à l'une de ses petites flèches et la fit voler de l'autre côté du canyon, comme elle l'avait fait la veille.

Le matin suivant, avant de quitter la résidence, elle attacha le pompon de queues d'hermines dans sa chevelure noire et lisse. Les remarquerait-il ? Cependant, nulle flèche ne tomba à ses pieds ce jour-là, mais sur le bord du précipice se trouvait un message plus clair. Le jeune homme attendait lui-même son arrivée, lui qui n'avait pas un instant quitté ses pensées depuis que cette première flèche était parvenue jusqu'à elle depuis la corde de son arc. Au moment où elle approchait, ses yeux à lui brûlaient de feux étincelants, mais ses lèvres prononcèrent avec simplicité les paroles suivantes : «J'ai traversé la rivière Tulameen». Ensemble, ils se tinrent côte à côte et regardèrent les profondeurs devant eux, observant en silence le petit torrent délirant qui faisait la fête par-dessus ses rochers escarpés.

«Voici mon pays», dit-il en regardant de l'autre côté de la rivière. «C'est le pays de ton père et de tes frères ; ils sont mes ennemis. Je retourne à mon rivage ce soir. Viendras-tu avec moi ?»

Elle leva les yeux vers son visage jeune et beau. Il était donc l'ennemi de son père, le redoutable Tulameen !

«Viendras-tu ?», lui demanda-t-il à nouveau.

«J'y serai», murmura-t-elle.

La scène se déroulait dans les ténèbres de la lune et, au cours de la nuit agréable, il la conduisit au loin, vers les rivages rocailleux, jusqu'à l'étroite ceinture d'eaux calmes où ils traversèrent en silence dans son propre pays. Une semaine, un mois, un long été d'or s'écoulèrent, mais le vieux chef insulté et ses fils enragés ne parvinrent à la trouver.

Puis, un matin, au moment où les amoureux marchaient ensemble sur les hauteurs surplombant les très hautes terres de la rivière, les yeux vigilants du Tulameen n'aperçurent point l'ennemi caché. De l'autre côté de l'étroit canyon s'accroupirent et rampèrent les deux frères confondus de la fille épouse qui se tenait à ses côtés ; leurs flèches étaient posées sur la corde de leur arc, leurs cœurs étaient enflammés de haine et de vengeance. Comme deux oiseaux de proie maléfiques et ailés, leurs flèches volèrent de l'autre côté de la rivière rieuse, mais avant qu'ils n'en trouvent la marque dans la poitrine du Tulameen victorieux, la fille, inconsciente du danger, avait fait un pas devant lui. Avec un petit soupir, elle glissa dans ses bras, les flèches de ses frères enfoncées dans sa chair douce et bonne.

Cela se passait plusieurs lunes avant que sa main vengeresse ne réussisse à assassiner le vieux chef et ses deux fils détestés. Mais lorsque cela fut fait, le beau jeune Tulameen quitta les siens, sa tribu, son pays, et il s'en alla dans le nord lointain. «Car», dit-il en chantant sa chanson de guerre d'adieux, «mon cœur repose, défunt, dans la rivière Tulameen».

—◄‹•›►—

Mais l'esprit de sa fille épouse chante encore à travers le canyon, sa chanson se mélangeant à la musique de cette rivière à la voix la plus douce de toutes les grandes vallées de la Dry Belt. C'est pourquoi ce rire, le murmure sanglotant de la belle Tulameen, hantera à jamais l'oreille qui un jour écouta sa chanson.

L'Arcade grise

TELLE UNE ÉNORME navette, le bateau à vapeur se faufila à l'intérieur, puis à l'extérieur des petites îles innombrables ; sa longue écharpe de fumée grise pendait lourdement aux côtés de rivages incertains, façonnant une ombre au-dessus des eaux perlées du Pacifique qui se balançaient paresseusement, d'une pierre à l'autre, avec une beauté indescriptible.

Après le souper, je me promenai à l'arrière, chérissant l'espoir omniprésent, propre au voyageur, d'observer les beautés d'un coucher de soleil nordique ; et par une chance joyeuse, je plaçai mon tabouret près d'un vieux tillicum qui s'accoudait au bastingage, une pipe entre ses lèvres minces et courbées, les mains brunes jointes négligemment, les yeux sombres regardant loin vers la mer, comme s'ils cherchaient le futur. Ou est-ce parce qu'ils voyaient le passé ?

«Kla-how-ya, tillicum !*», le saluai-je.

Il regarda aux alentours et sourit à demi.

---

*Cette expression signifie en français : «Comment vous portez-vous, mon ami ?» (NdT)

«Kla-how-ya, tillicum!», répondit-il, avec la chaleur typique d'une cordialité que j'ai toujours rencontrée chez les tribus du Pacifique.

Je tirai mon tabouret vers lui et il reconnut mon geste en souriant à demi, mais sans bouger, comme s'il était entouré d'une forteresse d'exclusivité inviolable. Je savais déjà que ma salutation chinook servirait de pont-levis grâce auquel je pourrais traverser le fossé qui me séparait de son château de silence.

Comme un Indien, il prit son temps avant de faire plus ample connaissance. Puis il avança, dans un excellent anglais :

«Tu ne connais pas ces cours d'eau nordiques?».

Je secouai la tête.

Après quelques instants, il se pencha en avant, regardant le long de la courbe du pont, vers les canaux et les goulets que nous enfilions, jusqu'à une vaste bande d'eau à bâbord au-delà de la proue. Puis il pointa d'un geste particulier, profondément indien, les paumes renversées.

«La vois-tu, là-bas? La petite île? Elle repose au bord de l'eau, comme une mouette grise».

Cela prit quelques instants avant que mes yeux inaccoutumés ne la discernent ; puis, d'un seul coup, j'aperçus ses contours voilés dans le lointain embrumé – ses contours gris, très fins et imprécis.

«Oui», répondis-je, «Je la vois maintenant. Tu vas m'en parler, tillicum?»

Il jeta un bref regard vers ma peau foncée, puis il hocha la tête en signe d'approbation. «Tu es des nôtres», dit-il, écartant ainsi toute ambiguïté possible. «Et tu comprendras cette histoire, sans quoi je ne devrais pas te la raconter. Tu ne souriras pas en l'entendant, car tu es des nôtres».

«Je suis des vôtres et je vais comprendre», répondis-je.

Il fallait encore une bonne demi-heure avant que nous nous approchions de l'île, mais ni lui ni moi ne parlâmes durant cette période. Au moment où la «mouette grise» se modelait en roche, en arbre et en rocher escarpé, je remarquai en plein centre un incroyable amas de pierres qui remontait vers le ciel sans fissure ni fêlure. Mais une brume étrange entourant le socle m'incita à y regarder de plus près, afin d'en apercevoir le contour parfait.

«C'est l' "Arcade grise"», expliqua-t-il avec simplicité.

C'est à ce moment que je discernai la masse particulière qui se trouvait devant nous : la roche était une arcade parfaite, à travers laquelle nous apercevions le calme Pacifique scintiller dans les couleurs du coucher de soleil qui atteignaient le rivage opposé de l'île.

«Quelle remarquable fantaisie de la Nature!», m'exclamai-je, bien que sa main brune se posât sur mon bras en une prise contradictoire, et qu'il saisît ma remarque avec une pointe d'impatience.

«Voilà la raison qui me fait dire que vous comprendrez, car vous êtes l'une des nôtres. Vous saurez que ce que je vous dis est vrai. Le Grand Tyee n'a pas créé cette arcade, c'était... À ce moment précis, sa voix baissa. «C'était la magie, la médecine de l'homme rouge et la magie; tu comprends bien?»

«Oui», répondis-je. «Dites-moi, parce que je comprends».

«Il y a longtemps», commença-t-il, en trébuchant

dans une langue anglaise à demi brisée en raison, je crois, de l'atmosphère et de l'environnement, «longtemps avant que tu naisses, ou que naisse ton père, ou ton grand-père, voire le père de celui-ci, une chose étrange s'est produite. C'est une histoire que les femmes doivent entendre et dont elles doivent se rappeler. Les femmes sont les futures mères de la tribu et nous, les habitants de la côte du Pacifique, nous les tenons en haute estime ; nous leur vouons un profond respect. Les femmes qui sont mères, o-oh !, sont celles qui revêtent une importance, disons-nous. Les guerriers, les combattants, les hommes braves, les filles intrépides, ont hérité des qualités de ces mères, mais n'est-ce pas toujours ainsi ?»

J'acquiesçai en silence. L'île avançait plus près de nous, l'«Arcade grise» apparut presque au-dessus de nous. Une aura de mysticisme émergea ; elle m'enveloppait, me caressait, m'attirait.

«Et ?», dis-je, en faisant une allusion.

«Et», poursuivit-il, «cette "Arcade grise" est une histoire de mères, de magie, de sorcellerie, de guerriers et – d'amour».

Un Indien utilise rarement le terme «amour». Lorsqu'il le fait, cela exprime chaque qualité, attribut, intensité, émotion et passion contenus dans ces cinq petites lettres. L'histoire que j'étais sur le point d'entendre était exceptionnelle.

Je n'ai pas répondu. J'ai seulement regardé de l'autre côté des eaux rythmées, vers l'«Arcade grise» que le soleil couchant touchait de ses doux pastels, de teintes que l'on ne pouvait nommer, de beautés impossibles à décrire.

«N'avez-vous pas entendu parler de Yaada?», demanda-t-il. Heureusement, il poursuivit sans attendre la réponse. Il savait bien que je n'avais jamais entendu parler de Yaada, alors pourquoi ne pas commencer, sans prélude, à m'en dire davantage à son sujet?

«Yaada était la fille la plus ravissante de la tribu des Haïdas. De jeunes braves sont venus de toutes les îles, du continent Mainland, des hautes terres du pays Skeena, espérant l'amener avec eux dans leurs résidences très éloignées, mais ils y retournaient toujours seuls. C'était la jeune femme la plus désirée de l'île entière; elle était belle, brave, modeste; la fille de sa propre mère.

«Mais il y avait un grand homme, un très grand homme; c'était un chaman aux multiples talents, à la fois puissant, influent, âgé, déplorablement âgé et très, très riche. Il dit, "Yaada sera mon épouse". Et il y avait un jeune pêcheur, beau, loyal, pauvre, oh! très pauvre et glorieusement jeune, qui dit lui aussi, "Yaada sera mon épouse".

«Mais la mère de Yaada s'assit dans son coin; elle pensa et rêva, comme le font les mères. Elle se dit à elle-même, "Le grand chaman a du pouvoir, il a de grandes richesses et une magie formidable, alors pourquoi ne pas la lui donner? Mais Ulka possède le cœur et la beauté d'un garçon; il est très courageux, très fort; pourquoi ne pas la lui donner?"

«Mais les lois de la grande tribu des Haïdas l'emportèrent. Ses hommes sages affirmèrent: "Donne la fille à l'homme le plus grand, donne-la au plus puissant et au plus riche. L'homme de magie doit choisir".

«Mais à ces paroles, le cœur de la mère fondit comme de la cire dans le soleil d'été – le cœur des mères est ainsi fait d'une étrange manière. "Donne-la au meilleur homme, celui que son cœur tient en plus haute estime", affirma la mère haïda.

«C'est alors que Yaada prit la parole : "Je suis une fille de ma tribu ; je jugerai les hommes d'après leur excellence. Celui qui se révèlera le plus noble est l'homme que je dois épouser ; ce n'est pas la richesse qui fait d'un homme un bon mari ; ce n'est pas la beauté qui fait d'un homme un bon père. Que l'on nous présente, à moi et à ma tribu, des preuves attestant l'excellence de ces deux hommes ; ce n'est qu'à ce moment que je choisirai celui qui deviendra le père de mes enfants. Que l'on nous expose leur talent ; qu'ils me montrent si leur cœur recèle le mal ou la beauté. Que chacun d'eux lance une pierre de façon résolu, avec cœur. Celui qui se révèlera le plus noble pourra m'appeler son épouse".

«"Hélas ! Hélas !", pleura la mère haïda. "Ce lancer de pierres ne révèle aucune valeur. Il ne révèle que des prouesses".

«"Mais j'ai imploré le Sagalie Tyee de mon père, celui de ses pères, de m'aider à les évaluer par ce moyen", dit la fille. "Ils doivent lancer les pierres. C'est ainsi, et ainsi seulement que je découvrirai ce que leurs cœurs contiennent".

«Le chaman n'avait jamais semblé aussi âgé qu'à ce moment. Il était si désespérément âgé, si ridé, si paralysé : ce n'était pas un compagnon pour Yaada. En revanche, Ulka n'avait jamais autant ressemblé à un Dieu dans sa beauté de jeunesse, si glorieusement jeune, si courageux. En le regardant, la fille l'aima spontanément. Elle était sur le point de déposer sa main dans la sienne, lorsque l'esprit de ses ancêtres l'a arrêtée. Elle avait donné un ordre; elle devait le respecter. "Lance!", ordonna-t-elle.

«De ses doigts racornis, le grand chaman s'empara d'une petite pierre ronde, tout en chantant d'étranges mots de magie; de ses yeux avides, il fixait la jeune fille; ses pensées avides étaient tournées vers elle.

«De ses doigts puissants, Ulla s'empara d'une pierre lisse et plate; ses yeux magnifiques étaient baissés, dans une modestie d'adolescent; ses pensées étaient fidèles à la jeune fille. Le grand chaman lança son projectile; celui-ci traversa l'air comme un éclair de lumière, frappant le grand rocher d'une telle force qu'il le brisa. Au contact de cette pierre, l'"Arcade grise" se forma; depuis ce jour, elle est demeurée formée.

«"Oh! pouvoir et magie magnifiques!", cria la tribu entière. "Même les pierres obéissent à ses ordres."

«Mais Yaada se tenait debout, les yeux brûlants d'agonie. Ulka ne pouvait ordonner une telle magie, elle le savait. À ses côtés, Ulka se tenait droit, grand, élancé et beau, mais au moment où il lança son projectile, la voix maléfique du vieux chaman prononça des incantations encore plus maléfiques. Il fixa le jeune homme de ses yeux malveillants, des yeux graves qui recelaient une magie hideuse exprimant un mauvais présage et remplie de "mauvaise" sorcellerie. La pierre laissa les doigts d'Ulka; pendant une seconde, elle vola en ligne droite puis, comme la voix maléfique du vieil homme montait durant ses incantations, la pierre suivit une trajectoire courbe. La magie avait affaibli le bras musclé du jeune brave. La pierre demeura suspendue un instant au-dessus du front de la mère de Yaada, puis elle tomba, comme si elle portait le poids de plusieurs montagnes, et celle-ci sombra dans son dernier long sommeil.

«"Assassin de ma mère!", cria la fille dans un accès de colère, fixant le chaman de ses yeux souffrants. "Oh! je vois maintenant ton cœur noir à travers ta magie noire. Grâce à la bonne magie, tu coupes la 'Grande Arcade', mais tu utilises ta mauvaise magie contre le jeune Ulka. J'ai vu tes yeux mauvais le regarder; j'ai entendu tes incantations mauvaises; je connais ton cœur mauvais. Tu as utilisé ta magie cruelle dans l'espoir de me gagner, dans l'espoir de faire de lui un exclu de la tribu. Tu ne t'es pas soucié de mon cœur attristé, de ma vie d'orpheline à venir". Puis, elle se tourna vers la tribu, et demanda: "Qui d'entre vous a vu ses yeux mauvais fixer Ulka? Qui d'entre vous a entendu sa chanson mauvaise?"

«"Moi", et "moi", et "moi", prononcèrent plusieurs voix, l'une après l'autre.

«"Même l'air que nous respirons près de lui est mauvais", crièrent-ils. "Le jeune homme est irréprochable, son cœur est semblable à un soleil; mais l'homme qui a utilisé son pouvoir magique possède un cœur noir et froid, telles les heures qui s'écoulent avant l'aube".

«Puis l'on entendit s'élever la voix de Yaada dans un chant étrange, à la fois doux et triste:

94

Mes pieds ne marcheront plus dans cette île,
    Avec sa grande Arcade grise.
Ma mère s'est endormie pour l'éternité sur l'île,
    Avec sa grande Arcade grise.
Mon cœur se briserait sans elle sur cette île,
    Avec sa grande Arcade grise.

Je dois tout à ma mère sur cette île
    Avec sa grande Arcade grise.
L'âme de ma mère s'est promenée dans cette île,
    Avec sa grande Arcade grise.
Mes pas doivent suivre les siens au-delà de cette île
    Avec sa grande Arcade grise.

« Au moment où Yaada chantait et pleurait ses adieux, elle rejoignit doucement la lisière de la falaise. Sur le bord, elle vacilla un instant, les mains tendues, comme une mouette qui attend son envol. Puis elle appela :

« "Ulka, mon Ulka ! Ta main est innocente du mal ; c'est la magie maléfique de ton rival qui a fait périr ma mère. Je dois la rejoindre ; même toi, tu ne peux me garder ici ; resteras-tu, ou m'accompagneras-tu ? Oh ! mon Ulka !"

« L'homme élancé, merveilleusement jeune, bondit vers elle ; leurs mains se lièrent l'une à l'autre ; pendant une seconde, ils se tinrent sur le bord du rocher, radieux comme des étoiles ; puis, ils plongèrent ensemble dans la mer ».

—◄(•)►—

La légende était terminée. Nous avions dépassé l'île et son «Arcade grise» depuis un bon moment; elle se fondait dans le crépuscule, loin derrière.

Au moment où je ressassais cette étrange légende portant sur la dévotion d'une fille, je regardai la mer et le ciel, en quête d'un indice annonçant la suite inévitable que le tillicum, comme tous ceux de sa race, retenait certainement jusqu'au moment opportun.

Quelque chose apparut dans les eaux ténébreuses, à une brève distance du bateau à vapeur. Je me penchai vers l'avant et observai intensément la scène. Deux poissons argentés faisaient des petits bonds et des plongeons successifs à la surface de la mer, leurs corps captant les derniers rayons du coucher de soleil, tels des bijoux étincelants. Je jetai un coup d'œil vers le tillicum. Il me regardait; un monde d'anxiété se reflétait dans ses yeux à demi endeuillés.

«Et ces deux poissons argentés?», lui demandai-je.

Il sourit. Le regard anxieux disparut. «J'avais raison», dit-il; «tu nous connais, nous et nos habitudes, car tu es l'une des nôtres. Oui, ces poissons ne peuvent être vus que dans ces eaux; ils sont toujours en couple. Il s'agit de Yaada et de son compagnon; ils cherchent l'âme de la femme haïda, sa mère».

Deadman's Island

Il fait nuit dans le Lagon perdu
Et nous rêvons tous deux que la nuit s'éloigne
Suivant la dérive d'un crépuscule gris
Suivant le déclin du jour mourant
Et la courbe d'une lune dorée

Il fait sombre dans le Lagon perdu
Disparues les profondeurs d'un bleu lancinant
Le groupe de mouettes, et le vieux canot,
Les sapins chantants, la nuit et – toi,
Disparue la lune dorée

Oh ! Le leurre du Lagon perdu
Je rêve ce soir que ma pagaie se brouille
L'ombre pourpre où les algues s'agitent
J'entends l'appel des sapins chantants
Dans le silence de la lune dorée

PENDANT PLUSIEURS MINUTES, nous sommes restés silencieux, appuyés contre la rampe ouest du pont, à regarder le coucher du soleil de l'autre côté de la jolie petite anse connue sous le nom de

Coal Harbour. Je n'ai jamais aimé ce nom disso-
nant et peu attrayant depuis la première fois que
j'ai manié la pagaie, il y a de cela plusieurs années,
le long des plats-bords d'un petit canot léger et, en
tournant au ralenti dans ses marges, j'ai nommé la
petite anse abritée le Lost Lagoon, le Lagon perdu.
Cela s'accordait bien à mes propres fantaisies, car,
pendant que s'écoulait ce mois d'été parfait, les
marées sans cesse en mouvement ont laissé le havre
dépourvu d'eau à l'heure où je préférais faire du
canot; et durant plusieurs jours, j'ai été privée
de mon endroit de repos favori – de là mon plaisir
à le nommer le Lagon perdu. Mais le chef, tel un
Indien, adopta ce nom sur-le-champ, du moins lorsqu'il me parlait de ce lieu; et, au moment où nous
regardions le soleil se faufiler derrière le bord des
sapins, il exprima le souhait que son abri se trouve
ici plutôt que sur la plage, du côté le plus éloigné du
parc.

«Si canot était ici, toi et moi on pagaierait près des
rivages entourant ton Lagon perdu : on ferait trace
comme demi-lune. On pagaierait sous ce pont, et on
passerait entre Deadman's Island, l'île des Défunts,
et le parc. On irait dans les environs, là où canon
parle temps à neuf heures. Puis on traverserait baie
jusqu'à Narrows indien».

Je me retournai pour regarder vers l'est, en suivant
dans mon imagination le cours qu'il avait esquissé.
Les eaux étaient calmes comme les pas du crépuscule qui approchent, et l'île des Défunts se perdait
dans une flaque de pourpre léger; elle reposait tel un
grand cercle de chandelles et de mousse.

«Y es-tu déjà allée?», demanda-t-il, lorsqu'il aperçut mon regard fixé sur le contour irrégulier des pins de l'île.

«J'ai parcouru les lieux de long en large», lui ai-je répondu, «j'ai escaladé chaque pierre de ses rivages, je me suis faufilé sous chaque pousse enchevêtrée de son sol, j'ai exploré ses sentiers envahis par la végétation et, plus d'une fois, j'ai failli me perdre dans son cœur sauvage».

«Oui», répondit-il en riant à demi, «c'est très sauvage; pas bon pour quoi que ce soit».

«Pourtant, les gens semblent croire qu'elle a de la valeur», répondis-je. «Il y a plusieurs litiges, querelles, en cours à ce sujet».

«Oh! Toujours comme ça», dit-il, comme s'il parlait d'un fait accepté depuis longtemps. «Là toujours batailles. Il y a des centaines d'années, le peuple indien s'est chicané pour elle; aussi, ils disent que dans centaines d'années à venir, ils vont encore se chicaner, car on décidera jamais à qui cette place appartient, ou qui a droits sur elle. Non, cela sera jamais décidé. L'île des Défunts cause toujours grosse chicane».

«Les Indiens se sont battus entre eux à son sujet?», fis-je remarquer d'un air candide, bien que mes oreilles frissonnassent d'entendre la légende suivante.

«Se sont battus comme des lynx qui s'affrontent de près», répondit-il. «Se sont battus et entretués, jusqu'à ce que l'île remplie d'un sang plus rouge que le crépuscule. L'eau de mer autour était tachée de rouge feu; et c'est à ce moment-là, disent les miens, qu'on a aperçu la fleur de feu écarlate le long de la côte la première fois».

«C'est une belle couleur, la fleur de feu», dis-je.

«Ça devrait être belle couleur, car elle est née et a grandi dans les cœurs des meilleurs membres de la tribu. Les meilleurs qui soient», insista-t-il.

Nous avons traversé jusqu'à la rampe est du pont, puis nous nous sommes levés pour regarder les ombres profondes qui se rassemblaient en douceur et en silence autour de l'île; rarement ai-je observé un spectacle aussi pacifique.

Le chef soupira. «Nous n'avons plus de tels hommes dorénavant. Plus aucun combattant comme ces hommes; aucun cœur, aucun courage comme les leurs. Mais je vais te raconter l'histoire; ensuite, tu comprendras. Aujourd'hui toujours paix; ce soir, tous bons tillicums. Même les esprits des défunts combattent pas maintenant, mais long moment après que cela est arrivé, ces esprits ont combattu».

Je risquai une question : «Et la légende?»

«Oh! Oui», répondit-il, comme s'il revenait soudain dans le présent, depuis un pays éloigné dans le royaume du temps. «Les Indiens l'appellent la "Légende de l'île des Défunts"».

«La guerre régnait partout. Des tribus féroces de la côte nordique et des tribus sauvages du Sud se rencontraient ici; elles se battaient et attaquaient, brûlaient et capturaient, torturaient et tuaient leurs ennemis. La forêt était enfumée par les feux de camp, les Narrows étaient obstruées de canots de guerre, et le Sagalie Tyee, un homme pacifique, a détourné son visage de ses enfants indiens. Cette île inspirait la dispute et l'affrontement. Les chamans du Nord l'ont réclamée, en soutenant qu'elle était leur espace pour chanter ; les chamans du Sud ont fait une revendication similaire. Chacun voulait se l'approprier pour en faire le bastion de sa sorcellerie, de sa magie. De vastes groupes de sorciers se rencontraient dans ce petit territoire ; ils utilisaient chaque ensorcellement en leur pouvoir pour repousser les opposants. Les chamans du Nord ont établi leur camp sur le versant nord de l'île ; ceux du Sud se sont installés le long du versant sud, avec un point de vue donnant sur ce qui est aujourd'hui la grande ville de Vancouver. Les deux groupes ont dansé, chanté, brûlé leurs poudres magiques ; ils ont érigé leurs feux magiques, secoué leurs crécelles magiques, mais aucun ne voulait y renoncer, et aucun ne réussit à la conquérir. Au milieu des eaux et sur le continent, des luttes faisaient rage dans leurs tribus respectives ; le Sagalie Tyee avait oublié ses enfants indiens.

« Après plusieurs mois, les guerriers des deux camps se sont affaiblis. Ils ont affirmé que les incantations des sorciers rivaux les ensorcelaient, qu'ils rendaient leurs cœurs semblables à ceux des enfants et leurs bras dépourvus de nerfs tels ceux des femmes. Alors, les amis et les ennemis se sont élevés comme un seul homme et ils ont reconduit les sorciers à l'extérieur de l'île. Ils les ont chassés vers la baie, ils les ont rassemblés à travers les Narrows et ils les ont poussés vers la mer. Les chamans se sont réfugiés sur l'une des îles éloignées du golfe. Ensuite, les tribus ont de nouveau amorcé une bataille.

« Le sang des guerriers du Nord sera toujours vainqueur. Ceux-ci sont les plus forts et intrépides, les plus alertes et motivés. La neige et la glace de leur pays rendent le pouls plus rapide que les soleils endormis du Sud; leurs muscles sont d'une matière plus dense et leur endurance est meilleure. Oui, les tribus nordiques seront toujours victorieuses*. Mais il est difficile de lutter contre l'art et la stratégie des tribus du Sud. Tandis que celles du Nord ont suivi les sorciers plus loin en mer, afin de s'assurer qu'ils soient bannis, celles du Sud sont retournées dans le camp de leurs ennemis pendant la nuit; elles ont saisi les femmes et les enfants, les hommes vieux et affaiblis; elles les ont transportés jusqu'à l'île des Défunts, où elles les ont tenus captifs. Leurs canots de guerre ont encerclé l'île comme s'ils érigeaient une fortification, à travers laquelle on pouvait entendre les sanglots des femmes emprisonnées, les murmures des hommes âgés et les gémissements des petits enfants.

«À plusieurs reprises, les hommes du Nord ont assailli ce cercle de canots; et à plusieurs reprises, ils ont été repoussés. L'air était lourd de flèches empoisonnées, l'eau était tachée de sang. Mais jour après jour, le cercle de canots du sud devint de plus en plus étroit; les flèches du nord étaient plus efficaces et elles atteignaient leur but. Des canots dérivaient en tous sens; ils étaient vides ou, chose pire encore, habités seulement d'hommes morts. Les meilleurs guerriers du Sud étaient déjà tombés, lorsque leur meilleur Tyee grimpa sur un rocher situé sur le rivage de l'Est. Brave et indifférent à l'égard des milliers d'armes

---

*Tout donne à penser que le chef connaissait le merveilleux poème de «Khan» [R.K. Kernighan] intitulé *The Men of the Northern Zone*, dans lequel le poète écrit: «If ever a Northman lost a throne / Did the conqueror come from the South? / Nay, the North shall ever be free...» (NdA)

pointing vers son cœur, il a levé la main, la paume tournée vers l'extérieur. Ce signe indiquait qu'il souhaitait discuter. Chaque flèche du Nord s'est abaissée sur-le-champ et chaque oreille nordique a écouté ses paroles.

« "Oh ! Hommes de la Côte d'en Haut", dit-il, "vous êtes plus nombreux que nous le sommes ; votre tribu est plus grande et votre endurance est meilleure. Nous sommes de plus en plus affamés et de moins en moins nombreux. Nos prisonniers – vos femmes et enfants et vos hommes âgés – ont affaibli nos réserves de nourriture. Si vous refusez nos conditions, nous lutterons jusqu'à la fin. Demain, nous tuerons l'ensemble de nos prisonniers devant vos yeux, car nous ne pouvons plus les nourrir ; à moins que vous ne souhaitiez retrouver vos épouses, vos mères, vos pères, vos enfants, en nous donnant, en échange de chacun d'eux, l'un de vos meilleurs, l'un de vos jeunes guerriers les plus courageux, qui consentiront à endurer la mort à leur place. Parlez ! Vous devez choisir".

« Dans les canots nordiques, des douzaines et des douzaines de jeunes guerriers bondirent sur leurs pieds. L'atmosphère était remplie de pleurs heureux, de cris exaltés. Le monde entier semblait résonner avec les voix de ces jeunes hommes qui appelaient avec force et avec un courage glorieux :

« "Prends-moi, mais rends-moi mon vieux père".

« "Prends-moi, mais épargne à ma tribu ma jeune sœur".

« "Prends-moi, mais libère mon épouse et mon jeune fils".

«Alors l'accord fut prononcé. Deux cents jeunes hommes, héroïques et magnifiques, ont pagayé jusqu'à l'île; ils ont pénétré dans le cercle fortifié des canots, et ils ont monté vers le rivage. Ils ont exhibé leurs plumes d'aigles avec l'esprit et la hardiesse de jeunes dieux. Leurs épaules étaient tendues, leur pas rapide, leurs cœurs forts. Dans leurs canots, ils ont rassemblé les deux cents prisonniers. Une fois de plus, leurs femmes ont sangloté, leurs vieillards ont marmonné, leurs enfants ont pleuré, mais ces jeunes dieux à la peau cuivrée n'ont reculé ni fléchi. Leurs malades et leurs faibles étaient sauvés. Que leur importait une chose aussi peu importante que la mort?

«Les prisonniers libérés ont été entourés rapidement de membres de leur tribu, mais la fleur de leur nation splendide se trouvait dorénavant entre les mains de leurs ennemis, ces courageux jeunes hommes qui se souciaient si peu de la vie qu'ils étaient prêts à s'en départir volontiers, et honorablement, afin de servir et de sauver ceux qu'ils aimaient. Parmi eux se trouvaient des combattants éprouvés par la guerre qui avaient participé à cinquante batailles et des garçons qui n'avaient pas encore atteint leur pleine croissance, et qui tenaient une corde d'arc pour la première fois; mais leurs cœurs, leur courage, leur dévouement étaient unanimes.

«Ils se trouvaient devant une longue file de guerriers du Sud. Leurs mâchoires étaient exaltées, leur regard défiant, leur poitrine nue. Chacun s'est penché en avant et a déposé ses armes à ses pieds; puis, chacun s'est tenu droit, les mains vides, et a ri d'avoir défié la mort. Un millier de flèches ont déchiré l'air, deux cents gorges héroïques ont lancé un cri de mort exultant, triomphant, tels des rois conquérants ; puis, deux cents braves cœurs nordiques ont cessé de combattre.

«Mais pendant la matinée, les tribus du Sud ont trouvé l'endroit où ils avaient abattu leurs ennemis rempli de fleurs enflammées. Alors ils ont éprouvé une terreur redoutable. Ils ont abandonné l'île et, lorsque la nuit les a enveloppés de nouveau, ils ont transporté leurs canots et se sont faufilés en silence à travers les Narrows ; ils ont tourné leurs arcs vers le Sud, puis ils ont disparu de ce littoral».

«Quels hommes glorieux !», chuchotai-je à demi, au moment où le chef terminait le récit de cette étrange légende.

«Oui, des hommes !», répondit-il, en guise d'écho. «Les Blancs l'appellent l'île des Défunts. C'est leur manière ; mais nous, les Squamish, l'appelons l'île des Hommes Morts».

Les pins regroupés, de même que les contours de l'île, étaient maintenant entourés d'ombres et indistincts. La paix régnait sur les eaux, et le pourpre du crépuscule d'été avait tourné au gris ; mais je savais que dans les profondeurs du sous-bois de l'île des Défunts s'épanouissait une fleur d'une beauté flamboyante. À l'arrivée de la nuit tombante, ses couleurs se sont voilées, mais quelque part en bas du sanctuaire de ses pétales, le sang du cœur de plusieurs hommes vaillants battait avec force.

Une légende squamish de Napoléon

PARMI LES LÉGENDES étranges que les tribus de la côte vénèrent, celles du serpent de mer occupent une place déterminante. Le monstre y apparaît et y réapparaît à une fréquence presque monotone en relation avec l'histoire, les traditions, les légendes et les superstitions. Mais peut-être le rôle le plus extraordinaire qu'il ait jamais joué s'inscrit-il dans les grands drames qui étaient alors le point de mire de l'Europe et, par la même occasion, du monde entier, durant les jours orageux de Napoléon Ier.

À travers le Canada, j'ai toujours réussi à trouver, parmi les Indiens très âgés et «non civilisés», une connaissance étonnante de Napoléon Bonaparte. S'ils ne connaissent pas l'ensemble des personnages qui ont existé depuis Adam, tous vous diront qu'ils ont entendu parler du «Grand combattant français», ainsi qu'ils nomment le merveilleux petit Corse.

Je n'ai pas encore décidé si cette connaissance s'est transmise parce que nos premiers colons et pionniers étaient des Français, ou parce que la carrière de combattant de Napoléon, quasi magique, a attiré l'esprit indien, à l'exclusion de combattants moindres. Mais un fait demeure : les Indiens de notre génération ne sont pas aussi familiers avec le nom de Bonaparte que l'étaient leurs pères et grands-pères. L'ignorance des jeunes Indiens à l'endroit de l'empereur des Français s'explique soit par la prédominance des colons de langue anglaise, soit par l'éclaircissement de leur sang ancien et de leur goût de la guerre en ces temps pacifiques.

En me racontant la légende du «Talisman perdu», mon bon tillicum, le dernier Chef Capilano, amorça cette histoire avec une question presque étonnante : avais-je déjà entendu parler de Napoléon Bonaparte? Il me fallut quelques instants avant de reconnaître ce nom, car son anglais pittoresque, mais beau, était un peu hésitant par moments. Mais lorsqu'il affirma, en guise d'explication, «Tu connais grand combattant, homme Français. Les Anglais, vaincre dans grande bataille», je compris immédiatement de qui il parlait.

«Que connaissez-vous de lui?», demandai-je.

Il baissa la voix, comme s'il parlait d'un secret d'État.

«Je sais comment Anglais, ils l'ont vaincu».

J'avais lu plusieurs récits de cette histoire écrits par des historiens, mais l'entendre dans une version squamish était une chose à la fois nouvelle et originale. «Oui?», fis-je, prononçant le mot qui habituellement le ramenait dans les chemins de la tradition.

«Oui», affirma-t-il. Puis, toujours en chuchotant à demi, il entreprit de m'expliquer que tout s'était produit par l'intermédiaire d'une seule articulation de la colonne vertébrale d'un serpent de mer.

En me racontant l'histoire de Brockton Point et

du brave garçon qui avait tué le monstre, il s'attarda légèrement sur le fait que ceux qui approchaient le voisinage de la créature sont paralysés, à la fois mentalement et physiquement – en réalité, ils sont ensorcelés, au point où leurs os deviennent disjoints et leurs cerveaux impuissants. Mais aujourd'hui, tandis qu'il s'étendait sur cette particularité, je le ramenai au garçon de Brockton Point et lui demandai de quelle manière son corps et son cerveau avaient échappé à ce malheur.

«Il était entièrement bon; avait aucune avidité», répondit-il. «Il était à l'épreuve de toutes les mauvaises choses».

Je hochai la tête en guise de compréhension et il entreprit de me dire que l'ensemble des brillants combattants et guerriers indiens transportait, quelque part sur leur propre personne, l'articulation d'une vertèbre de serpent de mer. Il ajouta que les sorciers poussaient «ce pouvoir» vers l'extérieur, de telle sorte qu'ils n'étaient pas affectés personnellement par ce petit «envoûtement», mais que lorsqu'ils s'approchaient d'un ennemi, cet «ensorcellement» devenait aussitôt un désastre, et la victoire était assurée aux fortunés propriétaires du talisman. Il y avait une articulation particulièrement efficace, qui avait été chérie et portée par les guerriers d'une grande famille Squamish durant un siècle. Ces guerriers avaient conquis chaque ennemi qu'ils rencontraient, jusqu'à ce que le talisman soit devenu si réputé que le grand totem de leur «tribu» entière ait été remodelé, et le nouveau surmonté par la figure d'une simple articulation de la vertèbre d'un serpent de mer.

Vers la même époque, les récits des premiers grands accomplissements de Napoléon se propageaient à travers les mers, mais pas à travers les terres. Ici se trouve peut-être un indice de l'histoire cachée des Indiens de la côte que ceux qui excellent mieux que moi dans la recherche peuvent essayer de résoudre. Le chef insistait sur la source des connaissances indiennes à l'endroit de Napoléon.

«J'imagine que vous avez entendu parler de lui depuis le Québec, peut-être grâce à certains prêtres français», fis-je remarquer.

Il me contredit avec empressement: «Non, non; ce n'est pas de l'est que nous avons entendu parler de lui, mais depuis l'autre côté du Pacifique, à cet endroit qu'ils appellent la Russie». Mais il ne pouvait m'éclairer davantage à propos de celui qui avait apporté la nouvelle, et des moyens que ce dernier avait utilisés. Vers la même période, une chose étrange s'est produite dans la famille Squamish. C'était une famille nombreuse, mais le seul individu masculin qui survivait alors était un très vieux guerrier, à la fois le héros de plusieurs batailles et le possesseur du talisman. Sur son lit de mort, ses femmes, issues de trois générations différentes, se sont réunies autour de lui: son épouse, ses sœurs, ses filles et ses petites-filles. Mais aucun homme, pas même un garçon issu de sa propre filiation, n'était là pour favoriser le départ de son esprit guerrier vers la terre de la paix et des richesses.

«L'amulette ne peut rester entre les mains des femmes», murmura-t-il, presque de son dernier souffle. «Les femmes peuvent éviter de faire la guerre et de lutter contre les nations étrangères et les autres tribus, car elles se destinent à la vie domestique et à l'éducation des petits enfants. Elles sont là pour tenir les mains des bébés, pour apprendre aux pieds des bébés à marcher. Non, femmes, l'amulette ne peut rester parmi vous. Je n'ai aucun frère, aucun cousin, aucun fils, aucun petit-fils, et l'amulette ne doit pas se retrouver entre les mains d'un guerrier qui m'est inférieur. Personne de notre tribu, ni d'aucune tribu de la côte, ne m'a jamais conquis. L'amulette doit se destiner à un homme aussi invincible que moi. Lorsque je serai mort, envoyez-la à travers la grande masse d'eau salée, au victorieux "Français", à celui qu'on appelle Napoléon Bonaparte». Ce furent ses dernières paroles.

Les femmes âgées souhaitaient enterrer l'amulette avec lui, mais les plus jeunes, inspirées par l'esprit de leur génération, étaient déterminées à l'envoyer de l'autre côté de l'océan. «Dans la tombe, elle sera morte», débattirent-elles. «Laissez-la vivre encore. Laissez-la aider un autre combattant jusqu'à la grandeur et à la victoire».

Comme pour confirmer la pertinence de leur décision, le jour suivant, un petit navire de pêche jeta l'ancre dans l'anse. Tous les hommes à bord parlaient le russe, à l'exception de deux marins aux corps minces, foncés et agiles; ceux-ci se tenaient à l'écart de l'équipage et ils discutaient dans une autre langue. Ces deux individus sont venus vers le rivage avec une partie de l'équipage et ils ont parlé le français avec un trappeur itinérant de la baie d'Hudson qui logeait souvent chez les Squamish. Ainsi les femmes, qui pleuraient déjà leur guerrier défunt, savaient que ces deux étrangers provenaient de la terre d'où le grand «Français» combattait le monde.

Ici, j'interrompis le chef. «Comment les Français ont-ils pu se déplacer jusqu'ici dans un navire de pêche russe?», demandai-je.

«Prisonniers», répondit-il. «Ce sont presque des esclaves, et leurs geôliers les détestent, comme la majorité déteste toujours les individus appartenant à la minorité». Alors les femmes ont isolé ces deux Français des autres marins et elles leur ont raconté l'histoire de l'os du serpent de mer, en les encourageant à le ramener dans leur propre pays afin de le remettre au grand «Français», un homme aussi courageux et brave que l'était leur chef défunt.

Les Français ont hésité. Ils ont soutenu que le talisman était susceptible de les affecter : il pouvait ébranler leurs cerveaux, de sorte que durant leur retour vers la Russie, ils n'auraient plus la force nécessaire pour planifier une fuite vers leur propre pays. Il pouvait disloquer leurs corps, rendre inutiles leurs pieds et leurs mains, au point où ils deviendraient aussi faibles que des enfants. Mais les femmes leur ont assuré que l'amulette dispensait ses pouvoirs magiques seulement à l'endroit de leurs ennemis, et que les anciens sorciers l'avaient «ensorcelée» avec cette qualité. Alors les Français l'ont prise et ils ont promis que si tel était leur pouvoir d'hommes, ils la transmettraient à «l'Empereur».

Au moment où l'équipage a monté à bord du navire, les femmes qui les observaient depuis le rivage ont remarqué que plusieurs d'entre eux étaient saisis d'étranges convulsions. Certains sont tombés sur le pont ; certains se sont accroupis, en tremblant comme s'ils étaient pris d'un mouvement incontrôlable ; d'autres se sont déformés pendant un instant, puis sont tombés en boitant, comme s'ils étaient dépourvus d'os. Seuls les deux Français se tenaient debout, forts et vivants ; le talisman squamish avait déjà vaincu leurs ennemis. Lorsque le petit navire leva les voiles en direction du golfe, il était sous les commandes d'un équipage formé de deux Français – des hommes qui étaient entrés dans ces eaux en tant que prisonniers, et qui les quittaient maintenant en tant que conquérants». Les Russes, paralysés, étaient moins qu'inutiles, et le chef ne put expliquer ce qu'il advint d'eux ; ils ont probablement été jetés à la mer et, par quelque tour du destin bienveillant, les Français ont finalement réussi à atteindre la côte de la France.

La tradition est si imprécise à propos de leurs déplacements après avoir quitté la baie que même l'imaginaire des Squamish, foncièrement coloré et romantique, n'a jamais exposé les détails de ce conte de fées joliment enfantin, mais étrangement historique. Mais les voix des trompettes de la guerre, le rythme des tambours à travers l'Europe a fait résonner jusqu'au cœur des forêts de la côte du Pacifique l'information que la grande amulette squamish avait rejoint par la suite Napoléon lui-même. À partir de ce jour, sa carrière a pris la forme d'une immense victoire : il a gagné une bataille après l'autre, conquis une nation après l'autre et, n'eût été la pire catastrophe qui puisse échoir à un guerrier, il serait devenu, en définitive, le maître du monde.

«Quelle était cette catastrophe, Chef?», demandai-je, surprise de ses connaissances à l'endroit du grand soldat et stratège qui avait marqué l'histoire.

Le chef baissa la voix de nouveau, jusqu'à ce qu'elle ne soit plus qu'un chuchotement. Son visage était presque figé d'intensité lorsqu'il répondit :

«Il a perdu l'amulette squamish. Il l'a perdue juste avant le début d'une grande bataille avec les Anglais».

Je le regardai avec curiosité. Il m'avait raconté le mélange le plus étrange d'histoire et de superstition, d'intelligence et d'ignorance. C'était la légende la plus originalement absurde, quoique surprenante, que je n'avais jamais entendue sortir d'une bouche indienne.

«Quel était le nom de la grande bataille? L'avez-vous déjà entendu?», ai-je demandé. Je m'interrogeais à propos de l'étendue de ses connaissances concernant des événements qui s'étaient déroulés de l'autre côté du monde il y a de cela un siècle.

«Oui», dit-il, avec soin et réflexion. «J'ai entendu parfois ce nom à Londres quand j'étais là-bas. Station de train là-bas, même nom».

«Était-ce Waterloo?», demandai-je.

Il hocha de la tête rapidement, sans l'ombre d'une hésitation.

«C'est celle-là», répondit-il; «C'est ça, Waterloo».

Le leurre de Stanley Park

IL Y A UN SENTIER bien connu à Stanley Park qui mène à ce que j'ai toujours aimé appeler les «Arbres-cathédrale», à savoir ce groupe d'une demi-douzaine de géants de la forêt qui forme une voûte céleste de leur superbe grandeur. Mais dans le monde entier, il n'existe aucune cathédrale dont les colonnes de marbre ou d'onyx peuvent rivaliser avec ces troncs d'arbre droits, purs et marron qui s'associent à la sève et au sang de la vie. Aucune fresque ne peut rivaliser avec la délicatesse de dentelle qu'ils ont ornée entre vous et les cieux éloignés. Aucune tuile, aucune mosaïque ni aucun marbre incrusté ne sont aussi fascinants que le sol nu, roussâtre et odorant qui se déploie à leurs pieds. Ils représentent le summum de l'architecture que la Nature a produite ; en les érigeant, celle-ci a surpassé l'ensemble de ses créations antérieures de manière incomparable. Jamais elle n'initiera une création aussi impeccable, jamais elle n'érigera un édifice aussi parfait. Mais les arbres divinement moulés et la cathédrale façonnée par l'homme partagent une caractéristique parfaite : l'atmosphère de la sainteté. La majorité d'entre nous

115

a de meilleurs sentiments après avoir vu une cathédrale imposante, et aucun ne peut demeurer au milieu de cette forêt majestueuse sans éprouver certaines pensées élevées, ni faire l'expérience d'un certain raffinement de notre nature ordinaire. Peut-être que ceux qui lisent cette petite légende ne regarderont plus jamais ces arbres-cathédrale sans penser aux âmes glorieuses qu'ils abritent, car, d'après les Indiens de la côte, ils accueillent des âmes humaines et le monde en est meilleur puisque jadis, ils possédaient la parole et les cœurs d'hommes puissants.

Mon tillicum n'a pas utilisé le terme «leurre» lorsqu'il m'a raconté cette légende. Il n'y a pas d'équivalent dans la langue chinook, mais les gestes qu'il a accomplis de ses mains expressives évoquaient tant la qualité de quelque chose situé entre le magnétisme et le charme que j'ai choisi ce terme, «leurre», car il représentait le mieux ce qu'il souhaitait transmettre. À quelques mètres au-delà des arbres-cathédrale, un sentier abandonné, envahi par la végétation, se transforme en une étendue sauvage et touffue vers la droite. Seuls des yeux indiens pouvaient apercevoir ce chemin, et les Indiens ne vont pas de leur propre gré de ce côté du parc, à la droite du grand groupe d'arbres. Rien de cela, pas même le monde à venir, n'attirerait un Indien de la côte dans l'un des centres touffus des parties sauvages du parc, car à cet endroit réside, ingénieusement dissimulé, le «leurre» auquel ils croient tous. Dans la région entière, il n'y a aucune tribu qui ne connaît pas cette étrange légende. Vous l'entendrez chez ceux qui se rassemblent à Eagle Harbour pour la pêche, chez les tribus du fleuve

Fraser, chez les Squamish vivant près des Narrows, chez ceux qui habitent la Mission, en amont de la baie, et même chez les tribus de North Bend, mais personne ne proposera de vous y accompagner en tant que guide, car lorsqu'on a déjà baigné dans l'«aura» du leurre, il est humainement impossible de le quitter. Votre volonté est éclipsée et votre intelligence attaquée; vos pieds refuseront de vous y mener par un chemin direct, et vous allez tourner autour, tourner autour de cet aimant éternellement. Si la mort vient gentiment vous aider, votre esprit immortel continuera de se perdre dans ce cercle infini qui l'empêchera d'accéder aux Terres de la chasse abondante.

Et, comme les arbres-cathédrale, le leurre a existé jadis; c'était une âme humaine, mais une âme dépravée, non sanctifiée. La croyance indienne à l'endroit des effets du bien et du mal dans le corps humain est très belle. Selon cette croyance, le Sagalie Tyee immortalise chacun à Sa manière propre. Pour ceux qui sont délibérément maléfiques, ceux qui n'ont aucune gentillesse dans leurs cœurs et qui sont sanguinaires, cruels, vindicatifs et antipathiques, le Sagalie Tyee les transforme en une pierre massive qui ne nourrira aucune pousse, même celles de mousse ou de lichen, car ces pierres ne contiennent aucune humidité, tout comme les cœurs méchants de ceux-ci étaient dépourvus du lait de la gentillesse humaine. La seule exception célèbre, dans laquelle un homme bon a été transformé en pierre, se trouvait dans l'exemple du rocher Siwash. Mais lorsque l'Indien vous en parle, il sourit avec satisfaction au moment où il attire votre attention sur l'arbre minuscule coiffant ce monument impérial. Il dit que l'arbre a toujours été là pour montrer aux peuples que dans le cœur de cet homme, le bien a continué de croître, même lorsque son corps avait cessé d'exister. D'un autre côté, le Sagalie Tyee transforme en arbres les gens bienveillants, les gens compatissants, compréhensifs, charitables et adorables, pour qu'à la suite de leur mort, ils partent en profitant à l'humanité entière. Ils peuvent ainsi devenir des arbres, donner des fruits, de l'ombre et un abri, fournir des services infinis aux vivants grâce à leur utilité dans la construction de matériaux et de bois de chauffage. Leur sève et leur gomme, leurs fibres, leurs feuilles, leurs fleurs enrichissent, nourrissent et soutiennent le genre humain ; aucun mal n'est le produit des arbres. Tout, tout est bonté, tout est cordialité, amabilité et croissance. Ils procurent un refuge aux oiseaux, ils donnent de la musique aux vents, et de leur bois sont façonnés les arcs et les flèches, les canots et les pagaies, les bols, les cuillers et les paniers. Les services qu'ils rendent aux hommes sont inestimables ; l'Indien qui vous racontera cette légende énumèrera l'ensemble des attributs et des vertus des arbres. Il n'est pas étonnant que le Sagalie Tyee les ait choisis pour être la demeure des âmes bonnes et grandes.

Mais le leurre de Stanley Park est cette chose redoutée parmi toutes : une âme maléfique. Elle est incarnée dans une pierre nue et blanche, que fuient la mousse, la vigne et le lichen, mais sur laquelle sont éclaboussées d'innombrables taches de jais qui en ont érodé la surface comme un acide.

Cette âme condamnée a animé jadis le corps d'une

femme sorcière qui voyageait du nord au sud de la côte, par-delà les mers et loin à l'intérieur des terres, lançant un coup d'œil maléfique sur les innocents, leur apportant des maux et des maladies indicibles. Sur sa personne, elle portait les «Mauvais remèdes» réputés en lesquels croit chaque Indien – ces mauvais remèdes qui affaiblissent le bras du guerrier durant la bataille, qui causent des difformités, qui empoisonnent les esprits et les caractères, qui entraînent la folie, qui apportent la peste et les épidémies. En résumé, c'était la semence de tout le mal qui pouvait échoir à l'humanité. Cette sorcière elle-même était immunisée contre la mort; des générations étaient nées et avaient vécu jusqu'à un âge avancé, elles étaient mortes, puis d'autres générations s'étaient élevées à leur place, mais la sorcière ne cessait de vivre, le cœur monté contre les siens. Ses actes étaient diaboliques, ses objectifs étaient cruels. Elle brisa des cœurs, des corps et des âmes, elle se réjouit du malheur, et leur envoya des sorts partout où elle se promenait. Et dans Son ciel très haut, le Sagalie Tyee pleura de chagrin pour Ses enfants humains affaiblis. Il n'osa pas la laisser mourir, car son esprit aurait perpétré ses actes diaboliques. Dans une énorme colère, Il ordonna à Ses Quatre Hommes (qui représentaient la Divinité) qu'ils devraient transformer cette sorcière en une pierre et enchaîner son esprit dans son centre, afin que la malédiction soit enrayée de la race malheureuse.

Alors les Quatre Hommes sont montés dans leur canot géant et, comme c'était la coutume, ils se sont dirigés vers les Narrows. Au moment où ils appro-

chaient de ce qui s'appelle aujourd'hui Prospect
Point, ils ont entendu un rire qui descendait vers eux
et, en regardant vers le haut, ils ont vu la sorcière se
moquer d'eux avec défi. Ils ont accosté et en escaladant les rochers, ils l'ont poursuivie pendant qu'elle
s'en allait en dansant, les fuyant comme un feu follet
au moment où elle les apostrophait avec mépris :

«Attention à vous, Oh! Hommes du Sagalie Tyee,
ou je devrai vous attaquer de mon œil maléfique.
Attention à vous, et ne me suivez pas». Elle dansa
sans arrêt dans l'épaisseur de l'étendue sauvage ; ils
la suivirent sans arrêt jusqu'à ce qu'ils rejoignent le
cœur de cette péninsule entourée de mer que nous
connaissons sous le nom de Stanley Park. Puis le plus
grand, le plus puissant des Quatre Hommes, leva
les mains et s'écria : «Oh ! Femme au cœur de pierre,
deviens pierre pour l'éternité, et porte pour toujours
une tache noire pour chacun des actes maléfiques
que tu as commis». Et pendant qu'il parlait, la sorcière se transforma en cette pierre qui, selon la tradition, se dresse au centre du parc.

Telle est la «Légende du leurre». Que cette pierre
existe réellement ou non, qui le sait ? Cependant,
une chose positive demeure : aucun Indien ne contri-
buera jamais à sa découverte.

Trois Indiens différents m'ont raconté qu'il y a
de cela quinze ou dix-huit ans, deux touristes – un
homme et une femme – s'étaient perdus dans
Stanley Park. Une semaine plus tard, lorsqu'on les a
retrouvés, l'homme était mort, la femme était folle,
et chacune de mes sources croyait fermement qu'au
cours de leurs errances, ils avaient rencontré «la

pierre» et qu'ils avaient été contraints à tourner autour d'elle en raison de son attrait puissant.

Mais heureusement, cette légende sauvage comportait une très belle conclusion. Les Quatre Hommes, craignant que le cœur maléfique emprisonné dans la pierre ne poursuive son œuvre de destruction, ont affirmé : «Au bout du chemin, nous devons placer une chose si bonne et grande qu'elle sera plus imposante, plus forte et puissante que le mal». Alors ils ont choisi, parmi les nations, les hommes les plus gentils et bienveillants ; des hommes dont les cœurs étaient remplis d'amour envers leurs semblables. Ils ont transformé ces âmes charitables en ce groupe imposant d' "Arbres-cathédrale".

Comme le pouvoir du Sagalie Tyee a imposé sa volonté à travers le temps ! Le bien a dominé, comme Il le prévoyait, car la pierre n'est-elle pas cachée dans un recoin du parc où aucun regard ne peut l'apercevoir et où aucun pied ne peut se rendre ? Et les milliers d'individus qui viennent à nous depuis les coins les plus éloignés du monde ne recherchent-ils pas ce lieu merveilleux, en demeurant impressionnés par le silence majestueux, la quasi-sainteté de ce groupe de géants ?

Plus que toute autre légende que les Indiens des environs de Vancouver m'ont racontée, celle-ci révèle l'amour des natifs de la côte pour la gentillesse et leur aversion de la cruauté. Si ces tribus ont déjà réellement formé une race guerrière, je ne peux m'imaginer qu'elles sont fières d'elles-mêmes à propos de ce métier. Si vous parlez avec ses membres, et que ceux-ci mentionnent un homme qu'ils aiment ou admirent particulièrement, le premier qualificatif qu'ils utilisent à son sujet est: «C'est un homme aimable». Ils ne disent jamais qu'il est brave, ou riche, ou couronné de succès, ou même fort – cette qualité que l'homme rouge chérit tant. Pour ces tribus de la côte, si un homme est «aimable», il est tout. Et presque sans exception, leurs légendes se rapportent aux rançons pour la tendresse et au renoncement de soi, ainsi qu'à l'hygiène personnelle et à la probité mentale.

Appelez-les contes de fées si vous le souhaitez. Chacun d'eux comprend une sagesse qui trouve sa source dans un esprit puissant et, mieux encore, chacun raconte la foi de l'Indien dans la survie des meilleurs sentiments du cœur humain, et l'ultime extinction du pire.

En parlant avec mes nombreux bons tillicums, je remarque que cette légende de sorcière est la plus connue sur le plan universel. De plus, il s'agit de celle à laquelle les autochtones croient le plus, parmi l'ensemble des récits dont ils m'ont honorée en me les racontant.

Deer Lake

PEU DE BLANCS SE SONT hasardés à l'intérieur des terres, il y a un siècle, à l'époque du Chef Capilano, lorsque les richesses du puissant fleuve Fraser affluaient vers des mains cuivrées. À cette époque, ces ressources naturelles ne trouvaient pas encore leur chemin vers les coins les plus reculés de la terre, comme c'est le cas de nos jours. Aujourd'hui l'or que l'on trouve en amont, le saumon que l'on pêche à son embouchure et le bois qui pousse sur ses rivages sont des richesses connues à travers le monde.

L'embarcation du pêcheur, la ruse du chasseur se manifestaient là où dominent, de nos jours, les villes et les industries, les échanges et le commerce, l'achat et la vente. À cette période, les pieds chaussés de mocassins n'éveillaient aucun écho dans les sentiers de la forêt. Des armes primitives, des fusils, des instruments et des ustensiles étaient les seuls moyens dont disposait l'Indien pour obtenir de la nourriture. Sa survie dépendait de ses prouesses personnelles, de son habileté dans le travail du bois et dans les connaissances traditionnelles des cours d'eau. Et, comme il s'agit de l'histoire d'une lance faite d'os de wapiti, le

125

lecteur doit d'abord être familiarisé avec le fait que cet instrument grossier, le plus adroitement confectionné, revêtait une valeur inestimable pour les premiers Capilano, chez qui il avait été transmis depuis trois générations d'ancêtres, et qui étaient tous des chasseurs expérimentés et des pêcheurs habiles.

Capilano lui-même n'avait aucun rival en tant que lancier. Il connaissait les humeurs du fleuve Fraser, les habitudes de ses nombreux habitants agiles comme nul autre homme ne les avait connus auparavant ni ne les a connus depuis. Il connaissait chaque île et chaque anse le long de la côte, chaque rocher, ainsi que les bancs de sable, les petites dolines paisibles et le tempérament des marées. Il connaissait les lieux de reproduction des poissons, les ruisseaux secrets qui alimentaient les grandes rivières, les déverses des lacs bordés de pierres, les tours et les jeux des rapides tourbillonnants. Il connaissait les lieux de prédilection des oiseaux et des bêtes, des poissons et du gibier à plumes, et il était un maître dans l'art et les moyens qu'un homme doit utiliser lorsqu'il se mesure aux réflexes imprévisibles des créatures indomptées provenant des étendues sauvages.

Sa ruse ne l'a trompé qu'une seule fois; la Nature ne l'a dérouté qu'une seule fois avec son réseau mystérieux de voies d'eau et de terres attrayantes. C'est lorsqu'il fut conduit à la bouche de la rivière inconnue qui n'avait jamais été découverte à travers les siècles, mais qui chante encore tout en poursuivant son chemin à travers certains canaux souterrains qui mènent du lac à la mer, ainsi que l'affirment les Indiens.

Il chassait le phoque le long des rivages de ce qui

est aujourd'hui connu sous le nom de Point Grey. Son canot s'était aventuré graduellement à l'intérieur des terres, longeant la côte jusqu'à l'embouchure de False Creek. En ce lieu, il a rencontré un énorme phoque, une créature prodigieuse qui réjouit l'œil du chasseur, en tant que gibier digne de ses prouesses. Pour cet animal exceptionnel, il projetterait la lance en os de wapiti. Lorsque ses parents, ses grands-parents et ses arrière-grands-parents l'avaient utilisée, elle n'avait jamais raté sa cible. Maintenant, il savait qu'elle ne raterait pas sa cible. Dans son canot se trouvait une corde en fibre de cèdre longue et flexible. Plusieurs mains expertes avaient tissé et tressé la corde ; elles l'avaient battue et huilée jusqu'à ce qu'elle soit aussi flexible qu'un serpent. Capilano l'a attachée à la pointe de la lance et, en visant de manière adroite et infaillible, il l'a projetée vers le roi phoque. L'arme a frappé sa cible. La créature gigantesque a frissonné et, en poussant un cri tel un enfant blessé, elle a plongé dans la mer. Avec la rapidité et la force d'un poisson géant, elle a filé vers l'intérieur des terres en suivant la marée montante, tandis que Capilano a étiré la corde de toute sa longueur. Et comme celle-ci se tendit, il sentit le canot sauter d'un bond en avant, propulsé par la force puissante de la créature qui fouettait les eaux en tourbillons, comme si elle était possédée du pouvoir et des propriétés d'une baleine.

Le long de False Creek, l'homme et le monstre ont poursuivi leur course là où, un siècle plus tard, les ponts de la grande ville s'étendront au-dessus des eaux. Ils ont lutté pour dominer la situation ;

ni l'un ni l'autre n'a faibli ou fléchi ; l'un traînait, l'autre suivait. À la fin, cela produisit un duel entre l'intelligence animale et humaine, et non un duel de forces pures. Au moment où ils approchaient de la pointe où le pont de la rue Main projette dorénavant son ombre au-dessus des eaux, l'animal a sauté haut dans les airs, puis il a plongé la tête la première dans les profondeurs. Le choc fut tel que la corde que Capilano tenait dans ses mains a été emportée ; celle-ci a déboulé jusqu'au plat-bord. Il se tenait debout, fixant le lieu où elle avait disparu ; l'animal était victorieux. À marée basse, l'Indien entreprit des recherches. Il ne trouva aucune trace de l'animal, ni de sa précieuse lance en os, ni de sa corde en fibres de cèdre. Avec la perte de celle-ci, il crut fermement qu'il avait perdu ses habiletés en tant que chasseur. Alors il patrouilla dans l'embouchure de False Creek durant plusieurs lunes. Son canot gracieux, arqué à la proue, touchait rarement d'autres eaux, mais le roi phoque avait disparu. À plusieurs reprises, il se méprit à croire que de longues fibres d'herbes aquatiques errantes étaient la corde en fibre de cèdre qu'il avait perdue. Avec d'autres lances, avec d'autres fibres de cèdre, avec des lames de pagaies et des pièges habiles, il déplaça les mauvaises herbes de leurs mouillages, mais elles glissèrent de leurs longueurs visqueuses à travers ses mains impatientes : sa meilleure lance, et la corde s'y rattachant, avaient disparu.

L'année suivante, il chassait encore le phoque tout près de la côte de Point Grey. Une nuit, après le coucher du soleil, il observa les reflets rouges de l'Ouest, qui semblaient se mouvoir vers les cieux de l'Est. Loin dans la nuit, des jets de flammes écarlates s'élançaient beaucoup plus loin que l'entrée de False Creek. La couleur est apparue, puis elle est redescendue comme une main faisant appel et, à la manière d'un Indien, il attribua une signification profonde à ce spectacle inhabituel. Nul doute, à ses yeux, que c'était une sorte de présage; alors il pagaya vers l'intérieur des terres, il accosta son canot sur la rive, puis il emprunta le chemin menant vers le petit groupe de lacs qui s'entassent dans la région située entre les villes actuelles de Vancouver et de New Westminster. Mais bien avant qu'il ne rejoigne les rivages de Deer Lake, il découvrit que la main qui appelait était en réalité une flamme. La petite étendue d'eau était entourée de feux de forêt. Seule une sortie demeurait ouverte; c'était un groupe d'arbres géants que les flammes n'avaient pas encore atteint. Au moment où il approchait de la pointe, il aperçut une grande masse de choses vivantes quitter le lac et se hâter vers le Nord en empruntant cette sortie. Il se dressa, écouta, et regarda avec intensité de ses yeux alertes. Le bruissement de milliers de petits pieds voyageurs résonna dans son oreille aux aguets; la masse en mouvement était une immense colonie de castors. Il y en avait des milliers et des milliers. Des douzaines de bébés castors s'en allaient en chancelant, en suivant leurs mères; des douzaines de castors adultes qui avaient rongé les arbres et construit des barrages durant plusieurs saisons les accompagnaient. C'était une armée infinie de porteurs de fourrure, tous sous la gouverne d'un chef âgé et brillant qui, en tant que

129

roi de la colonie, avançait à quelques pieds en tête de ses bataillons. Ils ont voyagé à l'extérieur des eaux, à travers la forêt menant vers la campagne jusqu'au Nord. Des chasseurs ont affirmé qu'ils les avaient vus traverser la baie Burrard à la hauteur des Second Narrows, puis se diriger vers l'intérieur des terres au moment où ils rejoignaient le rivage le plus éloigné; mais personne ne sait à quel endroit cette puissante armée de petits royaux canadiens a installé sa nouvelle colonie. Même le premier Capilano, avec son intelligence instinctive, ne réussit pas à trouver leur destination. Une seule chose était certaine : Deer Lake ne les connaissait plus.

À la suite de leur passage, l'Indien a suivi leur trace en sens inverse jusqu'à la lisière des eaux. Dans le regard furieux et rouge des feux environnants, il a vu ce qu'il crut être, au premier abord, une sorte de roi castor, mort et déchu sur le rivage. Une énorme carcasse reposait, à demi à l'intérieur, à demi à l'extérieur du lac. En s'approchant, il vit le corps décharné d'un phoque géant; jamais il n'existerait deux phoques de cette taille impressionnante. Il saisissait maintenant la signification du présage de la flamme qui l'avait appelé depuis les côtes éloignées de Point Grey. Il se pencha au-dessus de son conquérant mort et trouva, enfoncée dans sa chair pourrie, la pointe en os de wapiti de ses ancêtres ; et au bord de l'eau rampait, longue et flexible, une corde en fibre de cèdre.

Lorsqu'il s'empara de cet héritage précieux, il sentit grimper dans ses mains musclées le «pouvoir» que les hommes de magie possèdent. Ce pouvoir monta dans son cœur, dans son sang, dans son cerveau.

Pendant un long moment, il s'assit et chanta des chansons que seuls les grands sorciers peuvent chanter. Au fil des heures qui s'écoulaient, les feux de forêt s'apaisèrent, les flammes se transformèrent en une noirceur qui se consume. À l'aube, le feu de forêt s'était éteint, mais ses doigts à lui avaient rempli leur tâche. La lance d'os magique était revenue d'elle-même.

Jusqu'au jour de sa mort, le premier Capilano a cherché la rivière inconnue que le phoque empruntait pour voyager, de False Creek à Deer Lake ; mais ses canaux représentent un secret que même des yeux indiens n'ont jamais vu.

Mais bien que les membres de la tribu Squamish disent et croient que la rivière chante encore à travers son chemin caché qui mène de Deer Lake à la mer, son cours est aussi inconnu, son canal est aussi perdu à jamais, comme la brave petite armée de castors qui, il y a un siècle, ont uni leurs forces et voyagé vers le Grand-Nord isolé.

Un chef mohawk royal

COMBIEN DE CANADIENS sont conscients qu'en la personne du prince Arthur, duc de Connaught, le seul fils survivant de la reine Victoria, celui qui a représenté le roi George V au Canada, ils sont en présence d'une personne digne de respect, de quelqu'un portant l'ancien titre canadien de gouverneur général de l'ensemble du Dominion? Il serait difficile de trouver un homme plus canadien que chacun des cinquante chefs qui composent le parlement de l'ancienne nation iroquoise, cette race loyale de Peaux-Rouges qui a combattu pour la couronne britannique contre tous ses ennemis, et qui est demeurée fidèle au drapeau britannique à travers les guerres menées à la fois contre les Français et les colons américains.

Arthur, le duc de Connaught, est le seul homme blanc vivant qui possède aujourd'hui le droit incontesté au titre de «Chef des Indiens des Six Nations» connus sous le nom d'Iroquois. Il possède le privilège d'avoir un siège lors de leurs conseils, de voter à propos de toutes choses relatives à la gouvernance des tribus, la vente des terres des réserves, l'appropriation du capital et des intérêts de plus d'un demi-million de dollars que ces tribus détiennent en bons du Canada, fruit de la vente de leurs terres. En résumé, même si chaque goutte de sang qui coule dans ses veines royales était rouge au lieu d'être bleu, il ne pourrait être davantage qualifié en tant que chef indien qu'il l'est actuellement, même si son titre n'était pas l'un des cinquante titres acquis par hérédité, et dont les noms illustres composaient la confédération iroquoise bien avant que les visages pâles ne foulent le sol du Canada.

C'est à l'occasion de sa première visite au Canada, en 1869, quand il était à peine plus âgé qu'un garçon, que le prince Arthur a reçu, dès son arrivée à Québec, une adresse de bienvenue de la part des «enfants indiens» de sa mère royale sur la Grand River Reserve, située dans le comté de Brant, en Ontario. S'ajoutant à cet accueil, ces derniers lui ont adressé une requête : accepterait-il de se voir attribuer le titre de chef et de faire la visite de leur réserve afin qu'ils aient l'opportunité de s'entretenir avec lui ?

L'un des grands secrets du succès de l'Angleterre avec les races sauvages a été sa considération, sa déférence, son profond respect des coutumes, des cérémonies et des dirigeants autochtones. L'Angleterre souhaite que ses propres traditions et ses propres rois soient honorés, alors elle accorde librement un honneur semblable à ses sujets, peu importe qu'ils soient blancs, noirs ou rouges.

Le jeune Arthur était ravi. Les garçons de famille royale ressemblent à tous les autres garçons; la cérémonie unique serait une rupture dans la ronde infinie des réceptions, des banquets et des adresses d'État. Alors il accepta les compliments des Indiens rouges, sachant bien que c'était l'honneur le plus noble que ces gens pouvaient attribuer à un homme blanc.

C'était le matin du premier octobre, lorsque le train royal s'avança dans la petite ville de Brantford, où des carrosses étaient alignés pour amener le prince et sa suite jusqu'à la «Vieille église mohawk», à proximité de laquelle la cérémonie allait se dérouler. En tant qu'escorte particulière du prince, Onwanonsyshon, le chef des Mohawks, montait un poney de jais aux côtés du carrosse. Le chef était vêtu d'un authentique costume autochtone : un habit de daim, des mocassins perlés, un bandeau de plumes de hibou et d'aigle, et des ornements martelés de pièces d'argent qui couvraient entièrement son manteau et ses cuissardes. Sur ses épaules, il avait jeté une couverture écarlate, fabriquée du même drap fin avec lequel sont réalisées les tuniques de l'armée britannique; il la rentra avec ses épaules de temps en temps, selon la véritable mode indienne. Pendant qu'ils avançaient, le prince bavarda comme un garçon avec son escorte mohawk et à un moment, il s'appuya vers l'avant pour caresser le cou brillant du poney noir et parler à son sujet avec admiration. C'était une chaude journée d'automne; les routes étaient sèches et poussiéreuses et, après avoir parcouru une distance d'environ un demi-kilomètre, le jeune prince retira un panier de raisins en dessous du siège de la carriole. Avec son mouchoir, il fit tomber la poussière qui s'était déposée sur les fruits, il en présenta une grappe au chef, et en prit une lui-même. Quel étrange spectacle, dans une route de campagne : un prince anglais et un chef indien qui se promenaient amicalement côte à côte, en jouissant d'un festin de grappes comme deux écoliers.

Au moment où ils atteignirent l'église, Arthur bondit légèrement sur la pelouse. Pendant un instant, il se dressa, rigide, regardant devant lui vers ses futurs frères, les chefs. Son escorte lui avait transmis une vague idée de ce qu'il était sur le point de voir, mais il ne s'était certainement jamais attendu à être complètement entouré par trois cents braves et guerriers iroquois, tels ceux qui l'encerclaient maintenant de chaque côté. Chaque Indien arborait les peintures et les plumes de guerre, certains dénudés à la taille, leurs peaux cuivrées brillantes de peintures, de teintures, et de « motifs » ; tous portaient des tomahawks, des couteaux de scalp, des arcs et des flèches. Lorsqu'il débarqua, chaque gorge rouge poussa un énorme cri de guerre, qui fut répété encore et encore. Pendant ce bref instant, il demeura silencieux – une figure mince d'adolescent, vêtu de tweed gris pâle –, ce qui faisait un contraste singulier avec les fidèles vêtus de costumes magnifiques qui se pressaient vers lui. Son jeune visage pâlit jusqu'à une blancheur de cendre ; puis, faisant preuve d'un véritable cran britannique, il étendit sa main droite et hissa son chapeau melon de sa main gauche. En même temps, il avança d'un pas. Puis, les cris de guerre éclatèrent de nouveau ; c'étaient des cris assourdissants, sauvages, terribles. Au moment où les trois cents Indiens passèrent les uns après les autres, le prince serra la main à chacun d'entre eux, après avoir enlevé son gant. Une fois que cette étrange réception fut terminée, Onwanonsyshon avança et, lançant sa couverture écarlate sur la pelouse, il mit pied à terre et demanda au prince de se tenir dessus.

Alors un ancien chef s'avança ; c'était le père d'Onwanonsyshon et le président du conseil. Depuis très longtemps, il vouait une loyauté héréditaire et personnelle à la couronne britannique. Il avait combattu sous sir Isaac Brown à Queenston Heightsen en 1812, bien qu'il fût à cette période un simple garçon, et sur lui reposait maintenant l'honneur de faire du fils de sa reine un chef. En prenant Arthur par la main, ce vénérable guerrier marcha lentement sur la couverture, de long en large, en chantant lorsqu'il prononça la formule d'accueil étrange et sauvage. De temps à autre, il fut interrompu par de fortes expressions d'approbation et d'assentiment provenant de la vaste foule de braves qui l'encerclait ; mais hormis cela, l'on n'entendit aucun son, sauf le murmure monotone et bizarre d'un rituel plus ancien que les traces de pas de l'homme blanc en Amérique du Nord.

Il était nécessaire qu'un chef de chacun des trois «clans» des Mohawks participe à la cérémonie. Le chef le plus âgé, celui qui a chanté l'incantation, appartenait au clan de l'Ours. Son fils, Onwanonsyshon, appartenait au clan du Loup (la filiation se transmet par le biais de la branche maternelle de la famille). Puis, un autre chef, du clan de la Tortue, et dans les veines duquel coulait le sang de Brant, marcha ensuite vers le bord de la couverture écarlate. Une fois le chant terminé, ces deux jeunes chefs reçurent le prince dans la tribu mohawk, lui attribuant le nom de «Kavakoudge», terme qui signifie «le soleil qui vole de l'Est vers l'Ouest sous la gouverne du Grand Esprit».

Alors Onwanonsyshon retira de sa ceinture une écharpe rouge foncé et brillante, abondamment brodée de perles, d'épines de porc-épic et de poils d'orignal teints; il la plaça au-dessus de l'épaule gauche du prince et la noua derrière son bras droit. La cérémonie était terminée. La constitution que Hiawatha avait fondée des siècles auparavant – cette constitution qui dictait que cinquante chefs, ni plus, ni moins, devaient former le parlement des «Six Nations» – avait été anéantie et brisée, parce que cette race d'hommes rouges loyaux désirait honorer un jeune prince élancé, qui porte dorénavant le cinquante-et-unième titre des Iroquois.

Plusieurs hommes blancs ont reçu de ces mêmes gens des titres honorifiques, mais aucun ne se l'était vu accorder par l'ancien rituel, avec le nombre impératif des trois clans, à l'exception de celui porté par Arthur Connaught.

Après la cérémonie, le prince est entré dans l'église afin d'inscrire son nom sur la Bible ancienne (l'Ancien Testament) qui avait été présentée aux Mohawks par la reine Anne avec un service de sainte communion argenté, une cloche, deux tables sur lesquelles étaient gravés les dix commandements et des armoiries britanniques en bronze. Il inscrivit le nom d'«Arthur» juste en dessous de celui d'«Albert Edward», à qui le roi précédent avait écrit, en tant que prince de Galles, lorsqu'il avait visité le Canada en 1860.

Lorsqu'il est retourné en Angleterre, le chef Kavakoudge a envoyé son portrait, ainsi qu'un autre de la reine Victoria et du prince consort, afin qu'ils soient placés dans la résidence du conseil des Six Nations. Ils s'y trouvent toujours.

Au moment où j'écris, je lève les yeux et j'aperçois, dans un coin de ma chambre, une couverture écarlate suspendue, confectionnée de drap fin britannique. Car le chef qui monta le poney noir il y a si longtemps était le père de celle qui écrit ces lignes. Il n'était plus ici pour le porter lorsque Arthur de Connaught foula de nouveau le sol des rivages canadiens.

J'ai puisé plusieurs de ces faits dans un journal qui repose sur mon bureau ; il jaunit avec l'âge, et porte la date «Toronto, 2 octobre 1869». Dans la marge est inscrite, d'une écriture limpide, à demi-adolescente, «Onwanonsyshon, cordialement, de ton frère, le chef Arthur».

Liste des photographies

141

Cet ouvrage, composé en Horley Old Style et Hadriano, et tiré à cinq cents exemplaires sur papier Rolland Opaque, a été achevé d'imprimer à Montmagny (Québec) en octobre deux mille douze par Marquis Imprimeur.